Miguel Ángel Villegas Roche

Valiente y el Decimista

A los amigos que han esperado por otra de mis obras; a
Colombia y Venezuela; a su innegable hermandad;
a sus juglares y trovadores; a quienes escriben, improvisan,
recitan o cantan décimas espinelas.

Con íntimo placer, a mi hijo Miguel Edgardo.

AGRADECIMIENTOS

A Luis Abad y al doctor Gustavo Rodríguez, por el estímulo y su colaboración en la interpretación de términos de orden folclórico.

Al letrista José Avilán y al licenciado Efrén Barazarte, por las largas horas dedicadas a la lectura de estas páginas, para dar opinión sobre la expresión y el contenido.

CONTENIDO

PERSONAJES PRINCIPALES EN ORDEN ALFABÉTICO

Andrea Ruf: amiga de la familia Moreno-Sandoval.

Ana María Villafuego: congresista española.

Angelina Jancot: periodista.

Arián Refondo: asesor político español.

Alberto: ingeniero, padre de Andrea Ruf.

Consuelo Tejedor: pariente española (aragonesa) de Valentín Moreno.

Fabián Thomas: empresario francés, tío de Gabriel Thomas.

Gabriel Thomas: empresario francés-colombiano, simpatizante de la lucha de Valiente.

Manuela Sandoval: madre de Valiente y Valentina, esposa de Valentín.

Maricruz Quintero: esposa de Valiente.

Matthias Lorch: el amigo alemán.

Pinzón (Mr. Covert): oficial castrense.

Sagrario (doña Sagrario): empleada doméstica de los Moreno-Sandoval en Bogotá.

Valentín Moreno (el Decimista): locutor y poeta.

Valiente Moreno Sandoval: joven luchador unionista.

Valentina Moreno Sandoval: hija de Valentín y de Manuela.

Zuzette Dubois: mayordoma del señor Fabián Thomas.

DOS SIGLOS DESPUÉS

Era un día de mayo y las lluvias torrenciales terminaban de caer en la ciudad, un vendaval como nunca visto dejaba las huellas de su estrago y algunas calles y avenidas se vieron de pronto inundadas. Entretanto, Valentín, con la frente cubierta de sudor y el corazón martillante, buscaba la manera de encontrar vías alternas para llegar cuanto antes al hospital. La joven primeriza experimentaba serias contracciones, y no quería, ni podía perder un solo minuto. Una mañana tensa, sombría, llena de percances y de adversidades, con autos atascados, con gruesas ramas caídas y por desprenderse. Habría de ser la mejor película de drama y suspenso de llevarse la escena a la gran pantalla. Por desgracia para ambos, ahora mismo estaban siendo protagonistas de una muy real, una que podría empeorar en un chasquido de dedos y, de ser así, no podrían hacer otra cosa que no fuese esperar y parir en medio del caos, tan solo con la ayuda del Señor. Ante semejante probabilidad, Valentín giró con cuidado en un cruce prohibido, saltó tres aceras y tomó varios atajos. Unas feas callejuelas que, aun siendo peligrosas, le sirvieron para poner a tiempo, bajo cuidado, a su esposa y aminorar su nivel de angustia.

En otro episodio, poco más tarde, mientras daba vueltas y más vueltas junto a otros en el área de espera, y unos macilentos rayos de sol comenzaban a filtrarse por las nubes, ventanas y rendijas, en la sala de parto se respiraba confianza y comodidad. Cada cual actuaba de la manera adecuada: Manuela andaba bien con las técnicas de inhalación y exhalación; los galenos dejaban aflorar su maestría; y las enfermeras, con más de diecisiete y diecinueve años de práctica, hacían su trabajo con la mayor destreza y dedicación.

Todo apuntaba a que las cosas saldrían bien, sin riesgo alguno, de la forma más normal y natural y, en este transcurrir...

Otra toma profunda de aire, otro pujo, una última inhalación, un pujo más y ¡por fin!, el regalo de Dios. Valiente, entonces, marcado por un especial destino hacía su debut en la vida.

No había alcanzado los doce años y ya estaba siendo considerado un ser fuera de serie, un ser que sorprendía a su corta edad con sus conocimientos profundos de geografía, historia, lengua y literatura, especialmente las iberoamericanas. Manejaba con sobresaliente sabiduría lo que se había enseñado hasta la fecha sobre las conquistas de España y Portugal en América. Los distintos matices de la verdad, las medias verdades, lo que no podría negarse racionalmente por contar con evidencias y las grandes falacias.

La directora del colegio, de muy buena fe, le había permitido en numerosas ocasiones impartir clases de las materias que dominaba y exponía magistralmente, hasta que dijo en una cátedra:

«La historia como ciencia o disciplina académica tiene bajo su responsabilidad la exposición o narración de acontecimientos del pasado. Sin embargo, es bien sabido que muchos hechos han sido y son falseados, tergiversados, manipulados, deformados en favor de una doctrina, para justificarla con tal desfiguración. Más de once mil libros se han escrito hasta hoy en relación con las conquistas de España en América, las gestas emancipadoras, las independencias, y vale decir que solo la mitad han sido redactados sin hispanofobia, sin ningún tipo de sesgo antihispánico. Los otros, claramente, con relatos infundados y desfavorables, forman parte de la conocida leyenda negra».

EL ESPALDARAZO

De repente, el jovencito se volvió adolescente, un mozo de dieciséis años que estaba por salir de la pubertad. Seguía inmerso en su mundo, como cualquier erudito, pero llevando una vida normal en otros aspectos: se enamoraba, se desenamoraba, se divertía, se molestaba, hacía deportes, discutía las injusticias y se hacía respetar muy bien. Apartando su vida cotidiana, continuaba llamando la atención cada vez más de todos los medios, y la razón era una sola: sus raras y diversas ocupaciones impropias de su edad. Con un increíble talento y un estilo único, acudía a distintos lugares para dictar charlas sobre política, ideas globales, historia contemporánea de Iberoamérica y sistema educativo. Por esta razón y otras de peso, el singular jovencito acabó recibiendo en principio dos reconocimientos honoríficos. El primero se lo daría la Academia Colombiana de Historia y, el otro, la Academia Nacional de la Historia de Venezuela. Para agosto del mismo año y con el fin de recibir un nuevo galardón, debió viajar acompañado de sus padres y hermana, a la tierra de las castañuelas, del flamenco y de la décima, terruño de Vicente Espinel[1], Maximiano Trapero[2] y Yeray Rodríguez[3], ¡a España!, a la España que lo asiló durante un tiempo, y donde hizo grandes amigos de por vida.

Movido tal vez por las ideas republicanas de quien llevara «el fuego sagrado en el alma», Valiente lucharía hasta el final por conseguir «la gran patria». Para tal proeza debía contar con dos elementos *sine qua non*: serios argumentos y poder de

---

1. Vicente Espinel. Sacerdote, escritor, músico y poeta. Creador de la estrofa: abbaaccddc.
2. Maximiano Trapero. Filólogo, profesor y escritor. Autor del libro: La décima, entre otros.
3. Yeray Rodríguez. Doctor en filología hispánica, profesor y repentista.

convicción. Nada engorroso para él, además de devorar cuanto libro caía en sus manos, se sentía ante el público como pez en el agua, y ya contaba con cierta nombradía como líder estudiantil.

A los diecisiete seguía entregado a sus ideas, rumbo norte, como un noble caballero andante. Se distraía jugando al ajedrez, resolvía la mayoría de los juegos de memoria y, siendo apuesto, picaflor y en modo alguno arrogante, las mocitas continuaban mirándolo como un aprendiz de rompecorazones, un donjuán pasante. Su madre era una mujer atractiva y de recio carácter, aunque en el fondo amorosa, que impartía clases sobre estudios internacionales y escribía para una famosa revista semanal. Su padre, un hombre de hacer favores, cumplidor de la palabra y a quien llamaban el Decimista, trabajaba para esa época como locutor en una insigne emisora radial, además de tocar la guitarra y componer canciones de corte romántico. Era una familia que había sabido sobreponerse ante las vicisitudes adversas.

Sin haber superado los diecinueve, Valiente ya tenía adelantadas dos carreras de forma simultánea: Lengua y Literatura y Politología. Sus maestros, profesores, compañeros y amigos coincidían al decir que era un estudiante increíblemente crítico y, en no menos medida, curioso, ocurrente y analítico. Siempre en conexión con el entorno, con las nuevas ideas. Un día en que miraba el televisor, escuchó decir a los japoneses: «La disciplina vencerá a la inteligencia». La locución que ahora está recorriendo el mundo no hizo más que reafirmarle en su manera de actuar y de pensar.

Nadie sabía cómo, ni en qué momento cargaba tantas cosas a su intelecto. La cantidad de aforismos y refranes que había aprendido era descomunal. Creía en ellos por entero, en esa manera de dar a conocer resumidamente las sentencias morales. Los proverbios de ilustres sabios, pensadores y filósofos eran los que más decía, sobre todo los inspiradores, los motivadores, esos que invitan a comerse al mundo cada día. En cuanto al número de libros leídos, aventajaba a cualquiera de los más aplicados y con una cifra significativa. Entre los pasados por su vista, destacaba uno, de nombre *La prosa literaria y el verso*. Lo había leído de principio a fin, y aprendido de él, entre otras cosas, una noción simple que daban sobre la poesía, muy bien definida como:

«Manifestación del sentimiento estético por medio de la palabra». Asimiló sus distintas formas de expresión, vale decir, en verso y en prosa, las distintas estructuras, párrafos, estrofas (el soneto, los pareados, los tercetos, los cuartetos, la octava, la octavilla, el madrigal, la silva, todas las décimas y tantas otras), los tipos de rima (entre ellos, asonante y consonante), las sílabas métricas, los versos de arte menor y de arte mayor, y otras técnicas. Sobre su padre se decía que en cuarteta, ovillejo y espinela era un maestro de maestros, un referente indiscutible. En fin, que el grueso libro de carátula roja y editado hacía bastante tiempo era un regalo de cumpleaños para que ampliara su cultura general, más no para animarlo a que siguiera con la saga poética. Además de didáctico, el poemario contenía unas magníficas prosas literarias y unos versos de categoría, cuyos autores eran hispanoamericanos en su mayoría.

EL PODER DE LA LECTURA, EL ARTE DE ESCRIBIR

En un momento de solaz y de lectura, Valiente pasó a la página 23, y encontró esta cita de Fidelino de Figueiredo, un erudito literario portugués:

La vida, la palabra y el pensamiento son inseparables, pensar y saber, es querer decir y poder decir, porque lo que el hombre siente y piensa, lo incorpora al mundo de las palabras. El juicio, pieza nuclear del pensamiento lógico, solo existe en el cerebro del hombre por su traducción en frase.

De conformidad con esta motivación, Valiente se emocionó y se vio tentado a dejar su *pensamiento* por escrito. Reconocía, de todas formas, que escribir no era lo suyo, que no le sería fácil, dadas las opiniones de los expertos: «Escribir es un oficio de gran esfuerzo»; «Para escribir es necesario estar ardiente de afecto»; «Es primordial la fuerza impetuosa, la elegancia, la armonía»; «Escribir es precisar las ideas, tachar y corregir constantemente con paciencia»; Quien se inicie en el mundo de la escritura debe crear un estilo propio, administrar la frustración», y un sinfín de habilidades más. Eso dio motivo a que un diablito le dijera, pegado al oído *¡que no se atreviera!*, que sería una carga muy pesada que se echaría al hombro de la noche a la mañana. Al otro lado, y seguido del siniestro Satanás, un angelito le recordaría al genial Albert Einstein: «Todo se crea dos veces, primero en la mente, y después en la realidad. Si eres capaz de imaginarlo, podrás lograrlo».

El último domingo de aquel septiembre resultó inspirador, venía seguido de dos semanas extraordinarias, y Valiente se hallaba más entusiasmado que nunca. Desayunó changua con arepas, buñuelos y chocolate caliente, fue por la higiene bucal y reposó unos minutos.

Por más que había leído de Julien Green que «El pensamiento vuela y las palabras andan a pie. He aquí todo el drama del escritor»; por mucho que intuía que debía ocupar su mente en ello durante un largo tiempo; por más frescas que tuviese las recomendaciones de los expertos, ese domingo estuvo enfocado en su nueva faceta, en la tarea que ya había dispuesto, decidido a escribir sin vuelta atrás. Caminó hasta el escritorio, encendió el computador y buscó la hoja en blanco. Después de frotarse las manos, hurgar en su memoria y acomodar de nuevo la silla, comenzó a transcribir lo que traía de su mente, con algunos traspiés, pero sin irse al piso. Recordó muy lúcido, al sentarse, que no debía andar acelerado y que, por el contrario, debía hacerlo con mucha paciencia, concentración y perspectiva. Sabía que de la expresión (que refiere a las oraciones, contentivas de verbos, preposiciones, sustantivos, adjetivos y sin contar los signos de puntuación, admiración e interrogación), del contenido (que refiere a los significados que comunica el texto) y del sentido estético (referido al cómo se dice más que al qué se dice) dependería el éxito del libro. Hizo un corte para almorzar, reanudó la escritura y, ya caída la noche, cuando decidió reposar y repasar las cinco páginas, se dio cuenta al culminar de que ciertas cosas andaban mal: los acontecimientos narrados se notaban un poco desviados de su norte, algunos tiempos estaban confundidos y un personaje andaba por ahí errante y distraído. Por estas circunstancias, y con mucho dolor, borró las páginas cuarta y quinta de un solo plumazo. Allí mismo comprendió eso de «tachar y corregir siempre», además de lo de la paciencia debida, y así continuó.

En abril del año siguiente, cuando sus padres quisieron escudriñar su cuento dadas sus experiencias con las letras, les dijo: «La verdadera sabiduría está en expresarse con sencillez para ser entendido». Ellos rieron y lo tranquilizaron. Sabían que todo era producto del noviciado. En verdad, resultó ser una novela sencilla que tenía un poco de realista, fantástica y romántica, por medio de la cual reafirmó su visión unionista acerca de estas dos patrias. Con la canción *Café y petróleo* y el poema *Punto y raya*, echó su relato a rodar. Como la gran mayoría de los libros, este tomó unas páginas para los derechos reservados, los créditos, el índice, los personajes, una en blanco para la firma, la del agradecimiento, la dedicatoria, la del prólogo, y una para la presentación por parte del autor.

Para llamar la atención de sus potenciales lectores, escribió con mucha ocurrencia para el prefacio que: «en el letargo de la noche, y por los viejos cafetales, se oía el gemir de una triste canción en la vieja molienda, la pena de amor y la tristeza que llevaba el zambo Manuel[4] por la negra Soledad[5]. La negra del sandungueo y el ritmo con sabor a pimienta, la que gozaba la cumbia al son de los tambores y con su pollera colorá. Negrita a la que quería: más que a las cotizas para sus pies; más que a la tinaja que calmaba su sed; más que a su chinchorro que lo hacía soñar con un curruchá. La misma morena que se amañaba bailando al sonar de la caña; la que lo hacía perder la razón y por quien, sufriendo su amargura, pasaba incansable las noches moliendo café». Escribió con mucha sapiencia más adelante: «Las andanzas del loco Juan Carabina[6], junto a las de Pomponio[7]; la amistad de la loca Margarita[8] con la loca Luz Caraballo[9]; el arte de Jaime Molina[10]; la obra de Armando Reverón[11] y los derroteros que sufriera el mismito Lucifer al enfrentar en contiendas musicales a Florentino[12] y a Francisco el Hombre[13]».

---

4. Personaje de la canción *Moliendo café*, de José Manzo y Hugo Blanco.
5. Personaje de la canción *La pollera colorá*, de Juan B. Madera y Wilson Choperena.
6. Personaje de un poema homónimo de Aquiles Nazoa, musicalizado por Simón Díaz.
7. Personaje pintoresco de Bogotá, hecho canción por el autor Julio Torres.
8. Personaje popular de Bogotá, que inspiró la canción homónima de Milcíades Garavito.
9. Personaje de un poema del mismo nombre, del autor Andrés Eloy Blanco.
10. Dibujante colombiano.
11. Pintor y titiritero venezolano.
12. Personaje del poema *Florentino y el diablo*, de Alberto Arvelo Torrealba.
13. Arquetipo del juglar vallenato del folclor colombiano.

El libro gustó considerablemente, estaba escrito con una prosa accesible entre la ficción y la realidad, con letras grandes y bien interlineado, lo cual lo hacía de fácil lectura. Un amigo de la familia experto en las técnicas y estrategias de marcas fue llamado para que se encargase del diseño de la carátula, o para que hiciera por lo menos una recomendación. Cuando escuchó la historia de boca del propio autor, pidió que lo dejaran pensar dos días, y al cabo de ese tiempo presentó su propuesta. No hubo mayor discusión, la idea fue aprobada por unanimidad. Una foto *close up* con el rostro de Valiente, corrida un poco a la derecha; el nombre, Valiente Moreno Sandoval, debajo de la barbilla, y el título, *Bisagra*, ocupaban toda la portada, de fondo celeste. El libro estuvo muy lejos de hallarse en la estantería de los diez más vendidos, o *top ten*, como mejor se le conoce, pero, al ser recomendado por muchos, se hizo eco y logró venderse entre sus seguidores, y muchos lectores comunes y corrientes, ávidos de una historia novedosa.

LA LLAMA HEROICA

Cuando consiguió con diploma de honor su primera licenciatura, como cabía esperar, las autoridades de la universidad le pidieron formar parte del personal de profesores y él aceptó con gusto, pero su estadía allí no duró un año. Once meses después lo dejó todo y se volcó con afán a divulgar su ideario. Una vieja profesora de antropología que lo estimaba mucho le dijo en su despedida: «Que te acompañen la fortuna y el éxito Valiente, ve tranquilo y no sientas pena ni arrepentimiento. El hombre no es como el árbol, que nace para dar sombra a un mismo sitio».

Impresionado por haber captado a muchos adeptos en tan pocos días, y cuidando en particular de no malgastar esfuerzos o arar en el mar, fue creando a pulso un movimiento que con los años logró convertirse en una de las luchas más polémicas y asombrosas jamás vista en el continente americano. Desde un primer instante, su nombre y su revuelta comenzaron a conocerse a gran velocidad, y sus seguidores se sumaban semana tras semana, considerando que la cantidad debía ser compatible con una lucha de esta dimensión. Se podían ver las grandes avenidas de un lado y del otro, repletas de personas cargando un centenar de pancartas y gritando al unísono: «*¡Patrias Unidas!, ¡Patrias Unidas!*». En el anverso de sus franelas, la misma frase escrita en letras muy visibles; en el reverso, el gentilicio que se supone que se deriva de la frase.

El prodigioso proyecto había encendido el heroísmo en cientos de miles de personas, pero, como ya se sospechaba desde el principio, a la casta política le espantaba en demasía y, a causa de eso, desde ese mismo momento comenzó a ponerse en práctica entre los dos Gobiernos una vieja y mañosa confabulación, el plan temerario del emperador Julio Cesar: «*Divide et impera*», 'Divide y vencerás'.

Los pasos del plan serían: desintegrar los unos de los otros; enfrentar a los grupos sociales entre ellos; alentar a toda la sociedad en contra del movimiento, y dividir las concentraciones más grandes en fracciones aisladas de menos poderío, de menor envergadura. Una canallesca y despreciable maniobra, un vicioso intento por ocultar la incapacidad de llevar un país hacia puerto seguro, hacia su pleno desarrollo. Sus dirigentes quedaron desorientados, confundidos, les había salido el tiro por la culata. Un efecto bumerán que los haría pensar si atreverse o no de nuevo.

Pasados algo más de ocho meses, las encuestas vislumbraban que difícilmente alguien o algo sería capaz de detener la agitación. A la Gendarmería se le hacía cuesta arriba frenar tanta energía, tanto ánimo, tanto fervor, ni siquiera aplicando su máxima coacción. En un secreto a voces se sabía que, dentro de los cuarteles policiales y militares, ya se estaban dando continuos casos de deserción y, para colmo, amagos de rebelión.

Una inmensa población de trabajadores, activos y en la reserva, estudiantes, deportistas, artesanos, profesionales, técnicos, artistas y científicos, habían logrado con su impetuosidad que se realizara la consulta que ellos mismos habían solicitado. La movilización de los colombianos y venezolanos había sido de marca mayor. Un día movido, durante el cual los reporteros sudaron la gota gorda con el bárbaro ajetreo. Una jornada espléndida que arrojó como resultado, un 79 % en favor de la unificación.

El gigantesco paso, aparte de enviar un clarísimo mensaje a la comunidad internacional, había empoderado mucho más a Valiente, y a todos sus seguidores, y revestido de legitimidad —por extensión— al movimiento. Por razones de rivalidad, y como resultado del rotundo triunfo, los diversos grupos de grandes intereses y de mucho poder, al ver nuevamente sus alarmas encendidas, tomaron previsiones y se quedaron dispuestos a cualquier cosa.

LA REAFIRMACIÓN DEL LIDERAZGO

Dentro del próximo trienio, Valiente regresó al Viejo Continente. Necesitaba verse con sus amigos y revisar el apoyo que le estaba dando España. Tenía 26 años, pocos para andar navegando en un mar tan profundo, lleno de misterios y peligroso: eso diría cualquier navegante, metafóricamente. De sobra para alguien que reconocía el tiempo como una gran obra maestra creada por el hombre. Cuando menos, para no confundir las ideas ni trastornar a los demás, lo aceptaba cual especie de convencionalismo social, una regla que había que acatar, así no se estuviese de acuerdo con ella. Una década después, lo recibía de nuevo, ahora vuelto un gran líder. Convencidas tanto España como América de que el nacimiento de la nación Patrias Unidas estaba muy cerca de tener validez. Al superar el control migratorio y ser abordado por la prensa, declaró:

—En nombre de nuestro pueblo, del movimiento Patrias Unidas y en el mío propio, quiero dar las gracias infinitas a España por el apoyo que continúa dando a Colombia y Venezuela, en su firme decisión de conformar unidas una sola nación. Lo he dicho allá y aquí lo repito: una nación que, sin duda, estará presta a formar una alianza con este gran país.

—¿Piensa reunirse con el rey? —preguntó un periodista.

—¿Cuánto tiempo estará en España? —otro.

—¿Hacia dónde irá ahora mismo? —pregunta tras pregunta.

—Ahora mismo, como comprenderán, guardaré las maletas. Fue un vuelo cansón de casi nueve horas. Si me reúno o no con el rey, ustedes lo sabrán, y lo otro es que estaré por acá el tiempo necesario.

—Afuera hay muchas personas que dicen ser sus paisanos, esperan por usted, ¿piensa saludarlos?

—¡Vaya!, qué sorpresa. Claro que sí.

—Aquí tiene usted de la misma manera a muchísimos críticos, que sostienen que su ambicioso proyecto caerá al abismo, que todo será en vano, en suma, un total fracaso. ¿Qué les respondería?

—Solo se tiran piedras al árbol cargado de frutos. Y le aclaro, amigo reportero, que no son muchos los detractores, subrayo, sino muy pocos, mañana estarán convencidos, lo sé, de que estuvieron equivocados, esas son opiniones frívolas y viscerales que escapan a la razón. Este movimiento que hoy represento, es una onda expansiva que nada ni nadie podrán detener.

Luego de responder hábilmente y con palabras diáfanas cada una de las interrogantes, Valiente adelantó unos cuarenta pasos hasta salir por completo del edificio terminal. Sorprendido y regocijado, comenzó a saludar a la concurrencia con un brazo levantado, agitándolo dos o tres veces hasta acercarse y estrechar la mano a muchos de los presentes. En apariencia, no estaba resguardado, pero en realidad si lo estaba, un número regular de oficiales de civil, que él desconocía, habían sido comisionados por el comandante general de la policía para que velaran por su integridad. Muchas de las personas, como reporteros empíricos, aprovecharon el momento para hacerle numerosas preguntas, desde las más simples hasta las más complejas, que él lograba captar en medio de tanta bulla y las iba respondiendo, caminando entre la gente, mirándolos a los ojos. Al rato, les dijo a los más cercanos que estuviesen atentos al gran evento que tendría lugar en la plaza Mayor. Levantó de nuevo un brazo para despedirse y se fue hasta un lugar que pocos conocían. Eran las 07:50 p. m.

Aclaraba en Baiersbronn, estado federado de Baden-Württemberg, con una temperatura que podría estar a -3° Celsius, si no más. La nieve comenzaba a cubrir parcialmente las colinas, los techos, trenes, rieles y calles, todo lo que estuviese a la intemperie. El señor Matthias Lorch, a quien pudo conocer también en Madrid, y padre de uno de sus amigos, le había hecho una invitación repentina para que visitara su pueblo, donde le daría unos sabios consejos.

Desde la cumbre de la montaña más alta y muy bien abrigado, Valiente observaba cautivo la belleza de Baiersbronn, una ciudad espléndida y seductora. Tenía memoria de ella, a través de algunas fotografías, videos y referencias que le dieran su amigo y el señor Matthias.

Matthias era un hombre de esos que llaman leal a carta cabal a su condición de buen lector. Un trilingüe que, además de su lengua madre, hablaba inglés y español. De ahí que conociera, en principio, la literatura de su país, la del Reino Unido, la hispanoamericana y la española, y a sus grandes escritores, poetas y filósofos. Una persona con el ecuánime criterio para dar los concejos que había prometido. Mientras que el tiempo se consumía, Valiente continuaba allí, embelesado, extasiado por largas horas ante la hermosa ciudad.

—Toma este vino caliente, de este *glühwein* en el mejor alemán—le dijo el señor Lorch a su invitado—, y oye bien lo que voy a decirte, pese a que algunas cosas te podrían ser molestas y desagradables. El mal continúa al acecho en su afán por acabarlos, por llevarlos al fondo o, al menos, por disminuirlos, nunca tanto como hoy. Lo bueno es que, sea lo que fuere, ambos renacerán conservando las ideas; tu lucha tendrá un fin y tu fama será universal —palabras proféticas.

Al intentar reaccionar, estupefacto, el despertador sonó con gran fragor una y otra vez. Eran las 05:30 de la mañana, buena hora para emprender un nuevo día. Valiente había dormido como un koala y soñado lo más extraño. Se levantó, estiró duro los brazos y, al abrir la ventana, sintió la brisa helada. Según el servicio meteorológico, no estaba previsto que nevara aquel día, pero el frío amanecer obligaba a llevar buenos abrigos, guantes y gorros, según veía a la gente pasar en toda la ciudad.

Aquella mañana y desde las nueve, el Congreso de los Diputados iniciaría la jornada de puertas abiertas, una oportunidad para quienes deseasen adentrarse en sus estancias, y mucho más.

La coincidencia de la jornada que realizaría el Parlamento con la visita de Valiente a Madrid, le hizo surgir una muy buena idea a la joven Ana María, una abnegada parlamentaria que formaba parte de su grupo de amigos en España. La noticia la había sorprendido y, en vista de eso, debió correr para anticipar diligencias pendientes, organizar muchas cosas y prepararse, como buena anfitriona, para recibir a Valiente y darle la mejor de las bienvenidas. En el diálogo que tuvo con él días antes, y por lo cual Valiente no cesó de temblar emocionado, ella le propuso sin muchos rodeos un reencuentro de viejos amigos, sugiriéndole inclusive que partiera desde aquel lugar. A fin de cuentas, Ana María había sido, como continuaba siéndolo, la máxima impulsadora del respaldo que le daba el Parlamento español al movimiento. A este respecto, Valiente no hizo observación alguna, no dijo una sola palabra que la contradijera. Incluso más, con solo escucharla y saber que la vería de nuevo, renacieron en su corazón esos momentos en que ella, con dieciséis primaveras y tan guapa como ahora, lo mantuvo maravillado, seducido, dominado todo el tiempo con un quizás y con un tal vez que simplemente significaban que era posible pero no seguro. Ni sí ni no, a pesar de sus constantes requiebros de amor.

La distancia entre ambos continentes y su obligación para con la causa, sumadas a sus tantas ocupaciones, no le habrían permitido a Valiente durante un decenio tomarse siquiera cuatro semanas para visitar a sus amigos. Promesas tras promesas se fueron diluyendo, hasta que por fin llegó el momento.

Más recatados, cuando se vieron con Valiente les brotó de nuevo el hervor juvenil. Lo miraron de arriba abajo, se abrazaron a él, se hicieron muchísimas preguntas y rieron sin parar al recordar y culparse mutuamente de sus travesuras adolescentes. El más joven del grupo, de profesión economista, se hallaba fuera haciendo una maestría en banca y finanzas, pero eso no le impidió que los saludara desde lejos, para luego escuchar el cuento del sueño con su padre.

Ana María y Valiente, por su parte, desempolvaron al instante otros viejos recuerdos. Ella tuvo el valor de admitir para sus adentros que coqueteaba con él, y él la fuerza para terminar de resignarse por haberla procurado inútilmente y no poder desentrañar su juego. Parecía, en todo caso, por los destellos, que las estrellas se estarían alineando. Desde el gran mirador, sin perderlos de vista y sin tener un pelo de tontos, los demás pudieron calcular lo acelerado de sus corazones.

El burbujeo no cesó hasta que abrieron la puerta de los leones. Inmediatamente, fueron pasando al interior del hemiciclo junto al resto del público para formar una fila que los conducía a estrechar la mano a cada congresista y otras autoridades. Acto seguido, los llevaron a descubrir los diferentes pasillos, los distintos salones y, en especial, la exhibición de ejemplares de las constituciones. A la vez, los detalles artísticos, la galería de retratos de presidentes del Congreso, la biblioteca con libros y otros escritos antiquísimos y las entradas secretas. A la hora y media, y en un parpadeo, Ana María y Valiente se separaron del grupo para entablar, lo más seguro, una que otra conversación de carácter político.

Un restorán cercano a la plaza de Cibeles les sirvió de escenario para seguir viajando en retrospectiva y continuar con las anécdotas que aún guardaban en sus mentes. Pero, también con seriedad, para escuchar de cada uno lo que venía haciendo con su vida. En ese orden, todos hicieron comentarios sobre sus trabajos y pasatiempos, algunos sobre sus matrimonios; otros, según, preferían la soltería. Lo de Ana María era visible, dedicada ciento por ciento a la política; otra era una reconocida abogada y la tercera, graduada en turismo. Por parte de ellos: uno dedicaba su tiempo a la pintura, siguiendo los pasos de Goya; otro era entrenador deportivo de alto rendimiento; de último, Valiente, que no dijo más de lo que ya conocían.

Al anochecer, habiendo disfrutado de una paella de mariscos, dos botellas de verdejo y unos deleitables postres españoles, alzaron sus copas de vino espumoso para brindar por la felicidad, por la salud, y por las metas alcanzadas. El restorán habría sido testigo del juramento que habían hecho por estar mucho más comunicados y procurar en lo posible otro reencuentro.

Cuando se hizo de día, Valiente se arregló y salió para dispensarle una visita a un ser excepcional, a Consuelo Tejedor, una abuelita que vivía en Calatayud, provincia de Zaragoza, Aragón, a quien admiraba y estimaba mucho. Por su parte, ella lo había acogido desde que pisó España por vez primera, cuidando de él como un nieto más, luego de que sus padres y hermana regresaron a casa a las tres semanas. Era tataranieta de un antepasado suyo, y descubierta hacía años a través de un árbol genealógico hecho con gran exactitud y precisión. Doña Consuelo, o Consuelito, mantenía su pelo blanco, rozaba los ochenta y cinco y, todavía así, lucía de mucha menos edad, enteramente atenta, jovial y cariñosa con todas las personas, más con aquellos que llevaban su sangre. Animados por el hecho de encontrarse de nuevo, consideraron desayunar en un pintoresco restorán que visitaron juntos durante un año, el preferido por ella y donde acudían, incluso siendo modesto, un número grande de comensales de muy buen paladar. El propietario y los viejos empleados quedaron boquiabiertos al enterarse de que el forastero acompañante de Consuelito era el mismo chaval aquel de hacía diez años, de quien se supo en el pueblo que andaba por Suramérica alborotando el continente. Se saludaron, se tomaron fotos y rieron. Luego de la improvisada antesala, doña Consuelo señaló una mesa en la ventana, sujetó a Valiente por un brazo y caminó con él hasta ocuparla.

Mientras disfrutaban unos bizcochos y unos panecillos rellenos y hablaban de la familia y de los amigos, desde la mayoría de las mesas les brindaban saludos, aunque los ocupantes de otras se mostraban totalmente indiferentes, y algunas personas solo murmuraban. Ellos guardaron la compostura, se relajaron y, en los veinte minutos que siguieron, pidieron un cortado. Poco después, al estimar que era el momento de irse: se levantaron, se sacudieron unas cuantas migas y salieron del lugar diciendo adiós y sonriéndoles a todos.

De regreso a casa, atravesaron el huerto, se acomodaron debajo de un árbol y continuaron la conversación del restorán. Ella guardó absoluta discreción con el tema de la revolución de su primo, no hablaría de eso por nada del mundo, ni por mucho que él lo intentara. Valiente, del mismo modo, fue prudente en este sentido y no lo asomó en lo más mínimo. Más bien sosegado y procurando que la plática siguiera entretenida, se le ocurrió preguntar por *La Dolores,* una leyenda digna de ser contada y escuchada.

—Te recuerdo, Valiente, que soy bilbilitana —respondió al punto, para luego seguir ufanada—, y te puedo asegurar con toda propiedad que no hay en este pueblo un personaje que le haya dado más fama y popularidad que *La Dolores*. Sus danzas, sus coplas y su riqueza musical y cultural han hecho que se lo conozca en todo el mundo. Basta con escuchar *Si vas a Calatayud*, cuando entremos a la casa la ponemos, ¿te parece?

—¡Qué bueno!, me gustaría oírla —exclamó él.

Valiente la había escuchado muchas veces en las radios de Venezuela y Colombia, en fiestas y reuniones, pero oírla en el propio Calatayud, y siendo una jota de gran arraigo, le hizo sentirse uno más del lugar.

Lamentando tener que despedirse, Valiente regresó a Madrid por la tarde para continuar con su itinerario a lo largo de dos semanas. En los días sucesivos, estuvo en la plaza Mayor, en la plaza de España y visitó un par de veces más el Congreso.

LA SOLIDARIDAD

La biblioteca de la casa era un lugar lleno de paz y de recuerdos, que aludía a la enseñanza y al entendimiento. Un sitio favorecido donde olvidarse del mundo, reservado para los Moreno Sandoval y un selecto grupo de amigos y allegados. Frente a los libros había colgadas unas fotografías de los abuelos, bisabuelos, tatarabuelos, diplomas, medallas, placas conmemorativas y muchas otras de honor. A los pies de la pared de ladrillos color café, se veían un sillón con patas cuadradas de lona azul y un sofá de cuero marrón oscuro con grandes botones y patas redondas. A unos cuantos pasos y mirando hacia el centro, se podía observar una larga mesa rudimentaria de seis sillas sin pintar. A un lateral se hallaba ubicada una estantería regular que contenía una vitrola de 1930, una maleta de piel con suficiente desgaste, una estatuilla de la Virgen de Chiquinquirá, una imagen tallada en madera de Don Quijote y Sancho Panza, otra de *El pensador* de Rodin hecha en bronce, un candelabro bastante antiguo y un violín. Más arriba del anaquel, una cabeza de toro disecada. El piso era de terracota y, del alto techo, colgaba una vieja lámpara de listones y cadenas capaz de alumbrar el último rincón. Hacia el lado oeste y casi sin moverse debido a su peso, se podía mirar un grueso cortinaje verde oliva que cubría la enorme ventana. Aquel espacio estaba integrado en una casa colonial como la de Caracas: techo de tejas, un largo zaguán, una estufa, un jardín con una pila de agua, muchos helechos y macetas de arcilla con plantas ornamentales. La casona estaba rodeada totalmente por un muro empedrado, pintada de blanco con rejas negras, y ubicada a varios metros de una calle de adoquines. En la entrada había un letrero que decía: La Morenera.

Un domingo a mediodía, cuando el astro rey se encontraba en su punto más alto y Manuela observaba a dos tórtolas comer el alpiste puesto en el jardín, entraron uno tras otro Valentín, Valiente y, al minuto, Manuela Valentina, a quien la familia llamó siempre por su segundo nombre. La alegría era notable, mucho más en la hermana. Al ver que ya estaban todos, Manuela dejó la ventana y se acercó.

—Vamos a sentarnos —fueron sus únicas palabras, en tono grave, directas.

Había aprendido desde joven que la hora de la comida debía ser respetada: antes, durante y luego. Puesto el mantel, los cubiertos y servida la mesa, ella los invitó como de costumbre a tomarse de las manos, elevar una oración y a dar gracias a Dios por el pan. No les exigiría que se hablara con voz baja como en las iglesias, o como en el recitar de los suras del Corán los mediodías. Mas sí les pidió con carácter que los temas familiares, deportivos o algún otro fueran dejados para después. Cuando terminaron la plegaria, se desearon buen provecho y dieron comienzo al apetecible almuerzo, tal como se había exigido, entre muy cortas preguntas y respuestas, unos breves intercambios de palabras que, a la media hora, abrieron la puerta a las conversaciones más extensas y profundas.

—¿Cómo te fue por allá?, ¿cómo están tus amigos y Consuelito?

—Me fue bien, me trataron muy bien en el Congreso, pero el rey no pudo recibirme. Ana María se portó a las mil maravillas y también los demás, pasamos una tarde en un restorán recordando y hablando de todo. A Consuelito la dejé bien de salud, les mandó muchos saludos.

—¿Que tal la comida? No la de España, sino esta que te acabas de comer.

—¡Fabulosa! Una delicia, gracias a todos —dijo, satisfecho.

—Una especial por tu llegada, hijo —expresó, oronda, su madre—, llevabas casi seis meses sin venir, ni siquiera te despedimos en tu viaje a España. ¡Sí, sí, Valiente! Ya lo sé, por tu compromiso, perfecto, pero cuando se tiene un hijo, o dos en mi caso, uno se preocupa, tú lo sabes muy bien, ¿verdad? Ya lo dijo Andrés Eloy en *Los hijos infinitos:* «Cuando se tienen dos hijos, se tiene todo el miedo del planeta, todo el miedo a los hombres luminosos que quieren asesinar la luz y arriar las velas, y ensangrentar las pelotas de goma, y zambullir en llanto los ferrocarriles de cuerda. Cuando se tienen dos hijos, se tiene la alegría y el ¡ay! del mundo en dos cabezas, toda la angustia y toda la esperanza, la luz y el llanto, a ver cuál es».

Allí se detuvo, la voz ya no le dio, se había quedado un instante sin palabras, sin fuerzas, producto de un sentimiento abrumador que no había podido desatar desde hacía mucho tiempo. Apagó sus ojos, bajó la cabeza, y rompió a llorar casi en silencio. Nadie esperaría menos, Valiente había nacido para la esplendidez, para la grandeza, pero eso tenía un alto precio. Él se levantó con mucha rapidez y, al dar vuelta a la mesa, la abrazó duro, palmeó su espalda y besó su frente. En esto, Valentín y Valentina, con sus miradas fijas en ellos y con las barbillas apoyadas en sus manos entrecruzadas, veían con aflicción el penoso cuadro.

—Quiero que te calmes, nada me pasará, ten fe en que todo irá bien. En todo caso: «Un barco está seguro en el puerto, pero para eso no son los barcos» —resaltó Valiente para darle valor.

Con un brazo tendido sobre el hombro de su madre, agregó:

—Ustedes son los testigos más cercanos que tengo de todo el esfuerzo que hemos hecho, de toda nuestra insistencia, de los avances del movimiento. El resultado del referéndum fue y sigue siendo un gran logro, fuimos y somos noticia mundial, seguimos en boga, pero debo ser honesto, no es un abracadabra, no es nada fácil. Tenemos en contra a algunas potencias que, lógicamente, no nos quieren ver como tales, ¡pero venceremos! En estos dos meses próximos debo ir a Trujillo, al Zulia y al Táchira. Luego, sin parar, a Mérida, Caquetá, Antioquia, Putumayo, al Cauca, Tolima… Esto no ha terminado, pero créanme que sorprenderemos al mundo.

—Ojalá así sea, que Dios te proteja —dijo su madre, secando sus ojos anegados. En el fondo, se sentía jubilosa.

Valiente tomó asiento de nuevo, suspiró y, después de llevar a su boca una porción de marialuisa que degustó en segundos, volvió la mirada a su padre y le dijo:

—Necesito de ti.

—¿Qué necesitas? —preguntó Valentín después de moverse hacia adelante y probar de su copa.

—Un favor tuyo, uno no más, te toca escribir sobre el movimiento, sobre esta lucha que estamos dando, me ayudarías un mundo.

—¿Así lo crees?, ¡pero si tú escribiste una novela sobre el tema! —respondió don Valentín, a la vez en que daba golpes suaves y repetidos con los dedos sobre la mesa.

—Lo sé, no quiero que hagas otra, en lugar de eso solo te pido unos versos, a las personas hay que mantenerlas inspiradas, motivadas. ¿Podrás imaginarte lo que inspiraría un libro de versos que hable sobre todo esto? Cuando lo hayas hecho, porque seguro estoy de que me dirás que sí, me ayudarías a difundir y a trascender mucho más con tus versos toda esta idea. Daríamos a conocer a otro nivel las razones del movimiento. De más está decirte, padre mío, que hagas el relato en décimas, ¡en décimas espinelas!, que bien he estudiado. No en vano te llaman el Decimista. Si me permites una sugerencia, me gustaría que iniciases los versos uniendo todos los departamentos con todos los estados, los municipios de uno con los municipios del otro, escribe sobre el folclor de ambos países, sobre su música, sobre sus mejores canciones, escribe sobre sus principales festivales, sobre su gastronomía, inventa una bandera ¡de tres colores! Describe un nuevo escudo nacional, el nuevo himno, habla de sus poemas, de sus novelas, todo lo que se te ocurra de acuerdo al tema. ¡Inspírate, viejo! ¡Ah! Escucha bien, las canciones deben ser de autores y compositores patriaunidenses, ¿me entiendes. verdad? Colombianos y venezolanos. De todas formas, pudieran ser de otros autores con la condición de que los temas sean dedicados al uno o al otro país. En resumen, todas las creaciones deben venir del ingenio de los nuestros, bastante que hay, con las excepciones que ya te mencioné. ¿Qué me dices?

—Me pones en un aprieto, Valiente, pero déjame ver qué puedo hacer. Hay que investigar primero, mejor dicho, ir averiguando y escribiendo a la vez. En verdad, no sé cuánto tiempo me llevaría, sería difícil darte una fecha, pero, según lo que me pides, estimo que podría tardar algunos meses.

—No importa, un libro es un libro. «Los libros han ganado más batallas que las armas», ¿recuerdas? —señaló Valiente.

—Sí, eso es del poeta español Lupercio Leonardo de Argensola. Por otro lado, quería decirte que te cuides, no debes confiar en todo el mundo. De nosotros dos, tú eres el blanco, tú estás al frente.

—Sí, tranquilo, todo va bien gracias a Dios.

Cuando Valiente notó que se hizo silencio, lanzó una pregunta:

—¿Qué libro estás leyendo ahora?

—Iba a comenzar la novela *María*, de Jorge Isaacs, un libro viejo, fíjate y no lo he leído, ya lo dejaré para cuando pueda. Eso que me pides requiere mucha investigación y dedicación.

—Todo sacrificio en la vida tiene su recompensa.

—Así he oído. Y, aprovechando el tema, quiero hacerte una pregunta: ¿qué recuerdas de la décima espinela, ya que dices conocerla?

—Lo que leí en el libro que ustedes me regalaron. Que su nombre proviene del escritor y sacerdote andaluz Vicente Gómez Martínez Espinel, pero conocido solamente como Vicente Espinel. Es decir, «espinela» viene de Espinel, autor además del libro *Diversas rimas* del año 1591. La décima espinela es una estructura poética, una estrofa formada por diez versos octosílabos, o sea, de ocho sílabas cada uno y de rima consonante. Entiendo que debe haber una pausa obligatoria en el cuarto verso, con un punto o con un punto y coma.

—¿Y qué más? —continuó preguntando el Decimista, mientras que madre e hija oían sin interrumpir.

—¡Guao, papá!, si no me equivoco, el primer verso debe rimar con el cuarto y con el quinto, ¿cierto?

—¡Sigue, sigue!

—El segundo con el tercero, el sexto con el séptimo y décimo, y el octavo verso con el noveno, ¿es así?

—¡Perfecto, felicidades! Ahora comprendes lo que me pides, ¿no es verdad?

—Confío en ti viejo. Y, otra cosa, Valentina, ¿cómo va tu graduación?

—En un mes terminaré la especialización —contestó la hermana.

—En un mes y ocho días —precisó la madre.

—¡Sí, bueno! Lo dije para redondear.

—Suerte, hermana.

—Gracias.

La señora Manuela ajustó sus anteojos, se sirvió de un sobrecito de endulzante y comentó luego:

—Ustedes me corrigen si no, pero creo que no hay nadie más en la familia graduado en química.

—Es química farmacéutica —aclaró la joven, mirando a su madre remover la manzanilla.

—Está bien, pero química, al final.

—El título debe decir: Especialista en química farmacéutica —subrayó Valentina.

—¡Excelente! —volvió a exclamar Valiente.

Para variar los temas, su madre preguntó con cierta picardía:

—¿Cómo están los amoríos?

—Mis amores llegan y se van como las olas —respondió a secas.

En realidad, no andaba de flor en flor, solamente pedía que no le hicieran preguntas sobre este punto. Su madre volvió a la carga.

—¡No, no, no! Te conocemos, échanos el cuento, ¿cómo se llama?

Valentín y Valentina movieron sus cabezas de lado a lado. Él respondió:

—«Ella no es mía, tampoco soy suyo, lo nuestro es temporal. Somos un préstamo voluntario que quizá dure toda la vida».

—Yo creo, Manuela que no deberías insistir —comentó el padre.

—Yo opino igual —dijo Valentina.

—Por allí siempre preguntan por ti, ya sabes, a nosotras dos y a tu padre, quieren venir para tu cumpleaños, ¡veintisiete añitos, hijo! —señaló doña Manuela juntando las manos y mirando hacia arriba.

—¡Vamos! Vendría en Navidad, para mi cumpleaños no creo que pueda, sacando la cuenta debo andar por Arauca o Apure. Y no te inquietes, madre, en estos días me enserio.

—¡Bueno, hijo!, me conformo con diciembre. Y eso de que te vas a enseriar está por verse, no te creo mucho.

—Así será, ya verás.

Tuvieron la creencia de que aquella tarde había transcurrido mucho más lenta que las rutinarias. Idónea para tratar el tema de la causa de Valiente y el apoyo que le daba su padre, los planes de las mujeres de la casa, sus inquietudes, sus temores, sus problemas y soluciones posibles. Oportuna para que los padres le repitieran a los hijos sus experiencias de vida y reafirmar la unión de la familia. A las dos horas de haber comenzado la noche tomaron una cena de fácil digestión; al rato, una infusión y, cuando pasaron quince o veinte minutos más, se fueron a la cama. Valiente debía partir a primeras horas, y los demás atender sus ocupaciones.

Eran muchas las cosas con las que se habían comprometido, casi bajo juramento, pero sin dudas que el arreglo de hacer un libro sobre dos países escrito en décimas fue lo más relevante.

Cuando cerraron sus obligaciones en Bogotá, todos, con excepción de Valiente regresaron a la otra casa, a La Sandovalera. Los deberes pendientes en Caracas no eran ni más ni menos. De cualquier forma, con la familia compartida entre una ciudad y la otra, ya estaban acostumbrados a viajar con frecuencia.

LOS PREPARATIVOS

El día siguiente del regreso era sábado, buen día para un merecido descanso. Pese a lo cual, sopesando una tarea que llevaba varios días de atraso, no quedaría más remedio, sino trabajar.

—Lo prometido es deuda, al terminar de comer debo activarme —dijo Valentín a su señora esposa sentado frente a ella y tomando el desayuno.

—¿De qué me hablas? —preguntó ella, arrugando el entrecejo.

—De las décimas que prometí a Valiente, ¿recuerdas?

—Sí, sí, hablaron mucho de eso en la casa de Bogotá.

—Debo acondicionar el dormitorio que está desocupado, quisiera usarlo para este caso especial, en la biblioteca no podría escribir, es necesario que no me interrumpan.

—Me parece bien, excelente, así la recuperamos —asintió ella—. Allí hay varias cosas que te podrán servir, no estoy segura si hay uno o dos escritorios, pero sí recuerdo que guardamos la alfombra manchada, la mesa pequeña y un estante de aluminio.

—Sí. Todo eso.

—Te puedo ayudar, si lo deseas, Valentina no podrá.

—¡No!, tranquila, yo me ocupo, debes tener cosas que hacer.

—Verdad que sí, pero no mucho, te puedo ayudar.

—¡No!, eso debe de estar lleno de polvo, tendría que usar mascarilla y guantes, yo hago eso, tú sabrás lo que has de hacer.

—Iré al supermercado, entonces, en el lavandero conseguirás lo que necesites.

El trabajo había resultado más pesado de lo que pudo imaginar porque debió, además de hacer la limpieza general, ubicar correctamente cada mueble e instalar los equipos electrónicos, arrastrar la alfombra al patio para aspirarla, lavarla y dejarla puesta al sol. Un trabajo duro que hizo con esmero, pensando en darse el gusto de lo que implicaba escribir descalzo y con los pies sobre el tapete. Faltando muy poco para terminar, Valentín se acercó a la cocina, pidió su limonada y le dijo a Manuela que ya podía echar un vistazo. Las agujas de reloj cucú se movían hacia las 11:38.

—¿Ya terminaste? —preguntó ella, esparciendo sal en una olla y bajando el fuego de la hornilla.

—Falta todavía, pero vamos para que le eches una ojeada.

La habitación que había estado en desuso desde hacía meses, y por nada convertida en maletero, ahora lucía diferente: limpia y en completo orden. En el transcurso de tres horas, Valentín se encargó de darle un vuelco, de acondicionarla para el fin específico: escribir, solo para escribir. Un esfuerzo tedioso que a su mujer llenó de admiración, sin poder hacer objeción alguna sobre la posición de cada cosa, estaban muy bien cuadradas y justificadas, como ella comentaría.

El escritorio donde el poeta se inspiraría ya estaba provisto de una computadora rápida y potente, de una impresora, de un bloc de notas y un portalápiz a tope. En el otro reposaban una foto familiar, varios libros, una resma de hojas blancas y un plato de porcelana de forma hexagonal de color azul y aguamarina. Había una silla ejecutiva de cinco ruedas y, sobre la mesa recostada en la pared, un proyector de imágenes con su receptor, que, si bien estaba viejo, aún servía. La pizarra acrílica de un metro por metro y medio comprada reciente colgaba en la pared opuesta a la ventana.

—Habrá que pedir audiencia para hablarte —dijo ella, jugando.

—Ninguno de ustedes, pero en serio necesito concentrarme. Debí haber comenzado a investigar hace unos días, ¡ya qué más! Será mañana cuando empiece, me falta colocar los mapas que compré y estaré listo.

—Fabuloso, y qué raro que no guindaste tu guitarra.

—¡Manuela!, recuerda, esta oficina es únicamente para hacer el trabajo de las décimas, únicamente para eso.

—¡Cierto! —reconoció ella de inmediato.

—¿Podrás ayudarme temprano a poner en el plato lo que siempre pongo? Necesito relajamiento, ¿me explico? Atraer energía positiva, despejar la mente, tener creatividad.

—¿Canela, romero y yerbabuena?

—Exacto, sobre todo la yerbabuena. Hablando de sabores y de olores, ¿terminaste de cocinar? Es casi la una, ya tengo hambre.

—Terminé hace rato —contestó.

Antes de irse a la ducha, Valentín colgó un cuadro pequeño que había olvidado y que contenía una décima suya de hacía veinticuatro años.

La décima espinela

Estos versos como ven
van rimando por entero,
el cuarto con el primero
y con el quinto también.
Sexto y séptimo en convén
con el décimo de lleno,
y en este mismo terreno
de la espinela y su mundo,
riman tercero y segundo
y octavo con el noveno.

Valentín Moreno

Seguidamente a la sobremesa, y tal como lo había anticipado, Valentín se dispuso a fijar los tres mapas regulares en una de las paredes de la reorganizada habitación. Se refería al del continente americano y a los mapas de Colombia y Venezuela. En ese orden, de izquierda a derecha. En esta oportunidad, y tratándose de algo que no requería mayor esfuerzo, Valentín cedió ante el ofrecimiento que le hizo su mujer para ayudarlo. Así pues, recogieron la mesa, lavaron la vajilla y luego se acercaron a la pieza. Al entrar, Valentín le mostró dónde debían ser colocados: era justo en la pared que estaba frente a la silla. El fin era tener a la mano las divisiones territoriales de Venezuela y Colombia, los nombres de los departamentos, de los estados y cada una de las regiones. Al ponerse de acuerdo sobre el espacio adecuado donde fijarlos, tomaron una cinta adhesiva, una tijera de punta roma y, cuidando de no dañarlos, se pusieron manos a la obra. Primero fue el de América, le siguió el de Colombia y, por último, el de Venezuela. Veinte minutos después, y vistos a cinco pasos, los tres abarcaban el setenta por ciento de la pared. Todo un mundo de información y de datos, de donde el escritor podría tomar lo que considerase.

Valentín se sentó en la cómoda silla, se echó hacia atrás sujetando los apoyabrazos y, mirando todo en conjunto, expresó en voz alta:

—Así es, así me gusta, ¡perfecto, Manuela! Se me hará mucho más fácil.

—Así los querías, ahí los tienes —comentó ella.

Una visión relámpago le hizo detenerse.

—No, Manuela, no. No puede ser así, ya tengo otra idea, a ese mapa de América habrá que hacerle una pequeña modificación.

—¿Qué pretendes decirme?

—Es sencillo, ¡ya verás! —contestó Valentín.

Manuela hizo silencio y resolvió esperar. Luego de encender el computador, Valentín se levantó, tomó las medidas de las demarcaciones de los mapas de Colombia y Venezuela en el de América y volvió a la silla. Se centró sin perder tiempo en el calco técnico, escribió en proporción una frase y, al imprimirlo todo, hizo el recorte que correspondía y lo pegó en el mapa de la izquierda.

Ahora podía leerse con claridad y de arriba hacia abajo: Nicaragua, Costa Rica, Panamá, Patrias Unidas, Guyana, Guayana francesa, Surinam, Ecuador, Brasil…

—¡Excelente!, es como decir Estados Unidos —le dijo su mujer.

Valentín estaba consciente, más allá de confiar en su musa y en su capacidad como decimista, de que tenía por delante un encargo difícil. Comprendía con claridad que debía realizar un verdadero esfuerzo literario si quería mostrar al público un trabajo amplio, fidedigno y limpio, una obra sujeta a cualquier crítica. Todo, obviamente, dentro de las rigurosas reglas de la décima espinela, como quería su hijo que fuese. Desde luego, tenía muy claro que no le alcanzaría toda su vida, ni dos, ni tres, para describir en versos y en forma absoluta a Venezuela y Colombia, mas sí trabajaría, y con mucho celo, para recopilar los datos que más destacaran, los más sobresalientes que representaran *grosso modo* el potencial de su gente, la cultura de sus pueblos, sus bellezas naturales, sus entidades políticas y las ideas integradoras de Valiente.

FAVOR CONCEDIDO

En un atardecer, Valentín observaba, detrás de un inmenso ventanal desnudo de La Sandovalera, cómo la lluvia golpeaba el cristal y el viento ululante y demoledor batía las ramas de los árboles. Era, como pocas veces, una desmedida tormenta que llevaba algunas horas. Siendo distinto aquel lugar, el aguacero trajo a su memoria el día en que corrió con su querida Manuela para que diera a luz a su primogénito. Como muchas casualidades en la vida, esta podría ser una de esas tantas «cuestiones del destino» para los cabalistas. Resultó que, justo a las treinta y seis semanas de preñez, la musa de Valentín alumbró en aquel ocaso el manojo de versos que le habían pedido. El último pujo que trajo al mundo a Valiente era la última pulsada que había dado a una tecla al culminar su poema.

Nunca el decimista Valentín Moreno había intentado algo similar, y menos mudarse de oficina por muy especial que fuera un caso, ni siquiera para componer musicalmente. Este habría sido la excepción. Era inevitable que lo hiciera por tres grandes razones: la primera, para darle respuesta al pedimento de su hijo, y no por una cosa caprichosa de Valiente, sino porque, en verdad, según reconocía el mismo poeta, los versos inspirarían a quienes apoyaban la causa; la segunda, porque lo había tomado como un reto literario, la oportunidad de dejar una huella indeleble y, la tercera, porque sería una buena ocasión para conocer aún más a sus dos patrias.

Nueve meses agotadores de investigación, de mucha inspiración, de teclas golpeadas millones de veces, para decirle a su hijo, en dos palabras: favor concedido. 293 páginas listas para su entrega.

DISCURSO SABOR A COSTA

En la capital del Atlántico,las conocidas pancartas con la frase «Patrias Unidas» se confundían con la muchedumbre. Una alegre multitud que, esperando por su líder, disfrutaba del mejor ambiente costeño y de las canciones del grupo musical.

Barranquilla estaba de celebración, por fortuna con un cielo azul y luminoso. Un año antes, la cosa había sido en Santa Marta y, hacía seis meses apenas, en Cartagena. Tras hora y media de hacer tiempo, el animador al fin anunció su presencia, se sintió la estremecida y Valiente subió a la tarima. Cuando tomó el micrófono para decir sus primeras palabras, *¡sorpresa!,* la orquesta comenzó a interpretar la conocida canción: *Tres perlas*:

Santa Marta, Barranquilla y Cartagena/ son tres perlas que brotaron en la arena/ tres estrellas del mar, del mar Caribe/ que descansan en la orilla de la playa/ en el bello amanecer de su bahía/ se refleja en Santa Marta su alegría/ su nostalgia, su historia, su hidalguía/ su leyenda de amor, su melodía/…

Al morir el imponente Magdalena/ Barranquilla la arenosa se levanta/ alegría en carnaval su ambiente llena/ armonía de color, su pueblo encanta/…

Valiente se hizo a un lado y comenzó a tararearla, a disfrutarla, a sentirla en verdad. En este instante, la voz principal del conjunto lo invitó con una señal para que se integrara a la orquesta, al coro. No lo pensó un solo momento: la pieza musical era una de sus preferidas, encajaba perfectamente en el lugar, y aprovecharía este tiempo para calentar la voz. A los tres minutos la orquesta paró, fue aclamada, y Valiente se colocó de nuevo al frente. Tras alargar su vista al fondo y levantar bien alto una mano cerrada, comenzaría su discurso como de costumbre:

—¡Vivan las Patrias Unidas!

—¡Qué vivan! —respondieron con un puño en alto.

—«El hombre no puede descubrir nuevos océanos a menos que tenga el coraje de perder de vista la costa». Esta es una frase del nobel André Gide, y lo cito porque este mar de gente es una prueba de coraje, una prueba fehaciente de lo que está pasando al norte del sur de nuestra América, de lo que está ocurriendo frente al mar Caribe, de lo que está sucediendo en esta parte del mundo. Es un mar de corazones palpitantes que dijo ¡sí! y que apuesta por la unión de nuestras patrias. ¡Y cómo somos aguerridos y soñadores!, ¡cómo, además somos ganadores! Esta apuesta la vamos a ganar. Estamos apostando a un país con una superficie de más de dos millones de kilómetros cuadrados, con personas probas maravillosas, *¡en su gran mayoría!, con gente* luchadora, trabajadora, soñando con un país donde seguirán brillando los deportistas, poetas, los artistas, los escritores, los músicos, los cantantes, inventores, creadores, educadores, con admirables pintores, escultores, con muy buenos estudiantes, con mujeres hermosas y talentosas. Gracias a nuestro Padre mayor, un territorio con grandes riquezas minerales, con una flora y una fauna que nos maravillan. Estamos apostando a un país libre de corruptos, libre de villanos, en pleno progreso. Nuestro movimiento no pretende recrear la Gran Colombia, ni tampoco convertirse en partido político alguno, es algo totalmente novedoso. Muchos jefes de Gobierno que hasta ayer se negaban a creerlo, hoy han reconocido, aceptado, que esto es definitivo, irreversible. La geopolítica de este siglo es diferente a la del diecinueve, y esa es la causa por la cual nuestro movimiento ha tenido y tiene el respaldo de España, mañana o pasado Patrias Unidas será su gran aliada.

Valiente alargó su discurso hasta completar una hora diez minutos y, para cerrarlo, concluyó:

—América pasa por un verdadero momento histórico, un tiempo de cambios, y las páginas las están escribiendo nuestras patrias. Dos naciones tan relacionadas cultural, social y económicamente que, tarde o temprano, tenía que llegar. ¡Muchísimas gracias!, ¡que Dios los bendiga!

Tan fuerte gritaron que la ovación retumbó en las Antillas. La orquesta de la misma forma debió despedirse y esta vez lo hizo con otra bonita canción, *Playas de mi tierra*:

Playas de arenitas blancas y de piedritas doradas/de palmeras ondulantes y de conchitas rosadas/son playas de Margarita, mi tierra linda, mi tierra amada/perla de amor encantada, mar de la Virgen bonita/...

Playas bellas/de tonos multicolores/con paisajes soñadores/ y reflejos de colores/ ¡ay! yo las quiero/ por eso cuando me alejo/ allí mi amor yo les dejo/ y de lejos las añoro/ allí mi amor yo les dejo/y de lejos las añoro/...

Con un horizonte de colores, casi a la puesta del sol, las personas comenzaron a marcharse, exhaustas pero contentas. Habían llegado desde los más remotos lugares del Atlántico y desde algunos departamentos vecinos. Dispuestas, como había quedado muy claro, a dejar sus testimonios y abrigar como siempre la prodigiosa idea de construir una nación con Colombia y Venezuela. Valiente bajó de la tarima por la parte trasera hasta cobijarse en una carpa, lugar donde lo esperaron: su equipo de lucha, tres líderes más y un connotado y respetado intelectual de abundantes canas. Recibió el saludo de muchos y le dieron de beber para la sed. Por unos segundos, reinó el silencio y todos cruzaron sus miradas como intuyendo en un instante que el hombre del bastón y barba bastante espesa era el más indicado para dirigirles las primeras palabras. El notable así lo percibió, y les dejó una profunda reflexión:

—Tú has sabido conducirte en todos estos años con mucho valor, haciéndole honor a tu nombre y sin mostrar un signo de debilidad. Mejor con mucha resistencia y resolución, así debes continuar. He visto como han tratado de doblegarte y no han podido. Conociéndote, sé que estás determinado a luchar, a darlo todo sin sucumbir, pero ten presente que no pararán. Ese discurso que acabas de pronunciar estuvo en su justa medida, ni más ni menos. Tu propia convicción de que es posible lograrlo, es preciso lo que hace avivar la llama, que no es más que el entusiasmo de tus simpatizantes. Yo te auguro todo el éxito, y te felicito una vez más. «Las gotas perforan la roca, no por su fuerza, sino por su constancia».

—Sin duda, doctor, en eso andamos, yo le estoy muy agradecido, gracias de verdad por acercarse, siento por usted mucho respeto y admiración —le dijo Valiente estrechando su mano—, deme por favor un permisito, y hablaremos en un momento, ¿le parece?

—¡Faltaría más! —contestó el locuaz profesor.

Valiente dio la vuelta, y caminó hasta donde estaba una de sus principales asistentes, la de más confianza. La miró frente a frente, la sujetó de un brazo, y al inclinarse le dijo susurrándole al oído:

—¿Qué sabes de Maricruz?

Ella, con los ojos, le expresó su asombro, a él su rostro lo acusaba, era indudable que se había prendado de aquella muchacha.

—Mi amiga está bien, hablé con ella precisamente ayer, quería estar aquí, me dijo, pero ha estado muy ocupada. ¿Te gustó?

—Mucho, siendo sincero.

—Yo me di cuenta cuando los presenté.

—Quisiera verla de regreso, pero sin incomodarte. ¿Habría algún problema si me dieras la dirección de su trabajo? O, hagamos algo…

—¿Quieres enviarle un ramo de flores, verdad? Te conozco como la palma de mi mano —le respondió, saliéndole al paso.

—Sí, sería bueno, con una tarjeta de mi puño y letra.

—Yo me encargo al volver, no te preocupes. Esa muchacha es de mucha prestancia, de mucho temple, para que sepas. Hasta donde se conoce, nunca la han visto deshojando margaritas.

Ante aquel manifiesto y sincera advertencia, Valiente la miró fijo sin responder. Cuando se incorporó de nuevo al grupo, el invitado de gala le dirigió otras excelsas palabras:

—Quizás ni tú mismo te habrás percatado de todo el significado de tu revolución, todo lo que ello conlleva, y como constantemente lanzas al viento alguna que otra frase interesante, voy a decir una del célebre sabio Patañjali:

Cuando estás inspirado en algún gran propósito, por algún extraordinario proyecto, los pensamientos rompen las barreras; la mente trasciende sus limitaciones; la conciencia se expande en todas direcciones y te encuentras en un nuevo mundo maravilloso. Las fuerzas, las facultades y los talentos dormidos cobran vida. En ese momento, te das cuenta de que eres mucho más grande de lo que jamás hubieras soñado.

—Gracias de nuevo, doctor, por sus palabras, para mí son leños que pone al fuego. Además, su fe me inspira y sé que puedo contar con usted. Yo debo marcharme, que pase buenas noches.

FLECHADO COMO DIOS MANDA

Al día siguiente, en un vuelo de una hora y veinte minutos, Valiente pisaba de nuevo la capital colombiana. De acuerdo con la agenda, debía reposar lo que quedaba de la tarde para asistir por la mañana a una reunión interesante. La encomienda del envío de las flores a la muchacha fue delegada en otra persona con instrucciones bien claras. El encargado debía asegurarse de que llegaran a su oficina apenas ella entrara, como si toda la fragancia de las rosas la estuviesen persiguiendo. Él conocía como nadie el significado de eso, todo el efecto que traería. A todo esto, y con justa razón, debían sumarse los presagios de su madre al preguntarle sobre sus romances, era indudable que algún cambio adivinaba en él. A la media hora escribió en una tarjeta:

Para: Maricruz Quintero
Sé que suena vanidoso, pero debo decirle que soy Valiente,
los cobardes no se atreven ni siquiera a intentar conquistar
a una mujer tan bonita como usted.
Si acepta la invitación, le estaré esperando en el restorán:
La vieja casa, este próximo sábado a las 6:00.

Maricruz era una morena clara y de ojos árabes que rondaba los veintitrés abriles. Una joven esmeradamente educada, que se había quemado las pestañas para alcanzar el título de administradora y esforzado para obtener un diplomado en control de gestión. Para cuidar de sí, muy cautelosa y recelosa en cuestiones del amor, no permitiría que truhan cualquiera amargara su vida y dulce corazón. Otra prueba de fuego cruzado, a la que Valiente se sometería con aspiraciones de superarla.

Al darle el primer y único empujoncito, su secretaria, y cómplice por fuerza, se hizo la desentendida y dejó correr las aguas. Por muy amiga que fuese de la pretendida, y por muy buenas que fuesen las intenciones de Valiente, nunca lo delataría.

Luego de veintiún días y de dos intentos fallidos, el joven casanova se amparó en los caracteres hereditarios que por ley natural llevaba de su padre, para mandarle a la hermosa Maricruz, la misma que le agitaba el corazón: una tercera invitación; una estrofa espinela y un ramo de claveles.

No más flores viejo amigo
le he dicho a mi jardinero,
pues tú, Maricruz Quintero
no quieres nada conmigo.
Ayer frente a tu postigo
te sentí la más ingrata,
te llevé mi serenata
y no te dejaste ver,
dime qué más puedo hacer
para mirarte, mulata.

A la tercera fue la vencida. Ella acudió a la cita porque la intriga la mataba, y habida cuenta de que, según otra inocente excusa, al menos el pretendiente era una persona pública y no habría nada que temer.

Faltando poco para verse con el tenorio, la joven Maricruz había decidido vestir de *blue jeans*, lo mismo el pantalón que la chaqueta, llevar tacones altos y unos pendientes grandes de gitana. Valiente iría totalmente de negro, el color de la elegancia, de la autoridad y del poder. La camisa que llevaría sería de cuello botón, un saco de etiqueta, y sus zapatos estarían como siempre bien lustrados.

«Te esperaré en el mismo lugar y a la misma hora, esta y todas las veces» —decía la posdata.

Ella llegó a las 06:20, deslumbrante, despampanante, cortando a muchos la respiración con todo y el ritmo moderado en sus caderas. Es decir, no más allá de pasos firmes y elegantes. Al tiempo de cruzar la sala llamó la atención mucho más, y Valiente recibió un baño de dicha y felicidad que lo reconfortó finalmente. Emocionado el más galante de los caballeros, se levantó más o menos rápido, adoptó sin pavonearse una postura erguida, y sin demora la atrajo hacia él con la mirada. Al tenerla a medio paso, la saludó muy gentil; le robó una sonrisa y le hizo entrega de una flor.

—Permítame, por favor, el honor —le dijo al camarero que intentó sacar su asiento.

—Muchas gracias —expresó ella al momento de sentarse.

Las miradas que no causaron problemas volvieron a su lugar voluntariamente. Las otras, sin embargo, obligadas por los duros y furtivos pellizcos.

El auténtico gladiador, en batallas de amores, continuaría echando mano de cuanto recurso de la seducción y de la empatía podía para tenerlo todo dominado, para poder salir airoso, pero incluso así, en un momento, comenzó a sentir por vez primera que le arrebataban la batuta. Maricruz no lo dejaría, un minuto siquiera, dirigir la orquesta como acostumbraba. Ella, con su presencia, ya lo tenía atrapado en sus encantos, sumido en su embrujo, perdido en un laberinto.

—¡Qué linda es! —se dijo en silencio absorto, al tiempo en que su mirada imperativa le atravesaba los ojos.

Unos segundos de ilusión durante los cuales, como si se tratase de un acto de magia, intentaría arrancarle un pensamiento.

—Gracias por venir —le expresó luego.

—Gracias a ti por invitarme, y quiero que me excuses por las dos anteriores, en verdad no pude.

—Lo comprendo.

—Debo suponer señor Valiente, que fue usted quien me llevó una serenata el domingo pasado. ¿Es así?, ¡digo!, según la tarjeta.

Valiente lo negó con la cabeza, y la mantuvo un momento pensativa.

Luego le afirmó:

—Sí, fui yo. A decir verdad.

—¡Ah!, comprendo, quería saber eso, y gracias por las flores —dijo ella con presunción, así estuviese sintiendo igual un cosquilleo.

—¿Qué te apetece?, ¿un vino, un cóctel, alguna otra cosa?

—Prefiero un cóctel, pero dime algo, ¿cómo es que un hombre tan ocupado, de tanta fama y popular, tiene tiempo para un encuentro como este? Me resulta difícil creerlo.

—Cuando el amor toca a la puerta, hay que dejarlo pasar —contestó el joven picaflor tratando de sostener su galanteo. Ella soltó la risa.

—No te rías, es en serio, pudiste darte cuenta cuando me diste tu mano, cuando no dejé de mirarte después que nos presentaron. Hoy hace veintiséis días, ¿lo recuerdas?

—Sí, lo recuerdo, pero fue mi amiga quien insistió.

—Está bien, muy bien, ya lo creo, de cualquier forma, estás aquí, hermosa y radiante. Y yo, como ves, rendido a tus pies, a punto de rentar una góndola en Venecia.

—¡Tanto así! —expresó ella riendo aún y, levantando enseguida una ceja en señal de duda.

—Tanto así, esos ojazos me matan, y tu peinado igual, me gusta esa cola de caballo.

—Gracias.

Pasada aquella noche, los rumores corrieron y se regaron por toda la ciudad, esta vez, con datos ciertos comprobables. Transcendiendo los primeros impulsos, un romance muy en serio había nacido, el amor como Dios manda. Fortalecido, ya que supieron entenderse en la obligación que tenían de ser tolerantes. Gracias que les favorecía, además, la buena educación familiar y la misma visión de futuro. La esperanza de ser feliz, vivir en paz y en plena bonanza.

LA NOTICIA INESPERADA

Una noche en Caracas, en La Sandovalera, Valentín puso la taza de chocolate sobre la mesa y caminó apresurado. Era Valiente que llamaba. Llevaban tiempo sin saber de él, y naturalmente la corazonada le hizo acelerar los pasos.

—¡Aló! —se escuchó a un lado y al otro.

—Es Valiente –dijo, por si las dudas.

Valentín, al oírlo, invocó como de costumbre la bendición divina, y pasaron a la plácida conversación. Se preguntaron mutuamente por sus estados de salud, incluyendo el de Maricruz, el de Valentina y el de su madre.

—Gracias a Dios —dijo cada uno al darse la misma respuesta de aliento.

—¿Sabías que tu hermana logró emplearse?

—No sabía.

—¡Si!, en la empresa donde hizo sus pasantías.

—¡Qué bueno!, me alegra mucho. Y tú me dejaste un mensaje hace una hora, que las décimas estaban cerca de ser editadas.

—Así es, las páginas aumentaron a trescientas veinticuatro con la diagramación.

—¡¿En serio!?, ¡eso es todo un libro!, te felicito, le haces honor a tu seudónimo, nada menos que: el Decimista. Me siento orgulloso de ti.

—Eso dicen algunos.

—Así te llaman muchos —resaltó Valiente ante la modestia de su padre.

—Digamos que sí, pero, volviendo al tema, debó decirte que le he cambiado el título, le había puesto: *Versos en movimiento,* ya no va, creo haber dado con uno mejor.

—Tienes esa libertad, es tu libro, estás a tiempo, pero no me digas cuál es el nuevo nombre, sorpréndeme. Otra cosa, yo creo que no es bueno hacerlo público antes de mi entrevista en televisión.

—Supones bien, por estrategia, por conveniencia, pero seguido de eso sería bueno ponerlo a la venta, recuerda que ahora nos toca hacer las donaciones del ancianato como lo hicimos con el orfanato. Sé que andas muy ocupado, hijo, lo sé bien, pero trata de sacar un tiempito. ¿Cuándo estarás de regreso? Mira que tu madre siempre pregunta.

—Mamá sabe lo apretado que yo ando, igual que Valentina y tú, así que tranquilos, yo les avisaré. Hablaremos de las donaciones a mi regreso. Infórmame cuando todo esté terminado.

En ese preciso momento, la señora Manuela introducía una llave en la puerta principal de la casa para luego pasar y ser advertida de la llamada de su hijo. Valiente, a su vez, fue avisado de su llegada.

—Bueno, hijo, te estaré informando, que Dios te bendiga, te pongo a tu madre —dijo Valentín para despedirse.

Manuela tomó encantada el aparato, lo saludó alegre y lo bendijo en el nombre de Dios. Seguido a esto, comenzaron una plática muy semejante a la que había tenido Valiente con su padre, mucho más exigente pero idílica, igual.

—¿Cuándo te volveremos a ver? —preguntó al poquito rato.

—En cualquier momento, madre, ando muy ajetreado en verdad, pero en cualquier momento me aparezco por allá, está comenzando el mes —fue todo lo que dijo.

—¿Cómo está Maricruz?

—Ella está bien, ya sabes, ayudándome, para arriba y para abajo conmigo en todo esto. Es una buena mujer.

—Ya lo creo, y de dulce corazón, lo supe desde un principio, debes cuidarla mucho.

Al ratico, ambos colgaron, pero antes su madre rogó a Dios que lo bendijera, y lo elogió de nuevo por su intrepidez.

LA VERDAD DESNUDA

Fue a mediados de julio cuando Valiente al fin accedería por vigésima octava vez a ser entrevistado en televisión. De nuevo, en uno de los programas más debatibles, que conducía una de las más controversiales comunicadoras de habla hispana y de talla mundial. El lugar destinado para ello —por una razón que la emisora explicaría al invitado— fue el teatro de Santa Marta, departamento del Magdalena, lo que significó el traslado de equipos, de técnicos, resto de personal y jugosos contratos publicitarios. Estaba pautado para comenzar a las 7 de la noche y debía terminar en dos horas y media. De todo este tiempo, los últimos treinta minutos estarían disponibles para él, media hora que le sería concedida, toda vez que respondiera sobre su país de origen, un punto muy frío que se debatía en todos los lugares y con muchas suposiciones, y de ahí que se hiciera tan importante despejar la incógnita.

Una vez colocado el código de barras, y terminado el conteo de los diez segundos regresivos, salían al aire.

—Buenas noches a todos, estamos en directo, hoy contamos con un programa de mucho interés. Como se había anunciado, tenemos la visita del señor Valiente Moreno Sandoval, líder del movimiento Patrias Unidas, a quien le damos la bienvenida.

—Muchas gracias, Angelina, gracias por la invitación.

—Por lo visto, su movimiento alcanza cada día más adeptos, pero nada se ha concretado hasta ahora. Debo preguntarle entonces, por fuerza: ¿tendrá éxito su plan de unión?, ¿está convencido de que Venezuela y Colombia se unirán para conformar una sola patria?

—«La paciencia es amarga, pero su fruto es dulce». Lograr esta unión, sería configurar de derecho lo que de hecho ya es público y notorio. Por suerte, contamos en esta expedición con buenos mapas, brújulas y muchos exploradores. Hace tres años ganamos un referendo con un setenta y nueve por ciento, como bien sabe. En dos años, la cifra se movió de setenta y nueve a ochenta y uno, y hace quince días no más cerramos en ochenta y cuatro. De modo que eso evidencia cuánto hemos avanzado, ¡incluso con tantas dificultades!, con todo y los muros que nos han puesto al frente para tratar de detenernos, sumado a querer negar mi libro. Pero, cuando alguien se entrega a una razón de esta envergadura, cuando millones hacen respetar su derecho a decidir, no hay cabida para el desaliento ni para el temor al fracaso. Al revés, la mente debe estar enfocada en el triunfo, ¡en la victoria! Para ilustrar de alguna forma este escabroso camino que hemos transitado, y lo que queda por recorrer, voy a citar unas frases de cuatro escritores:

María Zambrano Alarcón:

«La palabra de la poesía temblará siempre sobre el silencio y solo la órbita de un ritmo podrá sostenerla».

Germán Arciniegas:

«Si ha de haber paz, la paz tendrá que ser activa, los motivos de la lucha han de mantenerse vivos para darle empleo a la ambición del hombre, a su ingenio, a su espíritu inestable».

Rufino Blanco Fombona:

«¡Qué libre es la vida de todo bohemio, poetas, gitanos! Por único premio de su rebeldía y su libertad, los saluda el cielo de cada ciudad, y son sus amigos las cosas viajeras, las brisas, las nubes y las primaveras».

Miguel de Cervantes:

«La libertad, Sancho, es uno de los más preciosos dones que a los hombres dieron los cielos: con ella no pueden igualarse los tesoros que encierra la tierra ni el mar encubre».

No se trata de un sueño platónico, permítame usted la expresión, es la idea de conquistar lo que se anhela, una meta, acompañada de muchísimo tesón, de un gran esfuerzo, de mucha tenacidad. Cuando logremos el objetivo, porque lo lograremos, lo primero que debemos hacer es defender la democracia como hasta ahora lo hemos hecho, que no es otra cosa que luchar por los derechos humanos, las libertades, y la autonomía de los poderes. Las dictaduras en sus distintas formas y las monarquías absolutas han sido las formas más comunes y tradicionales de autocracia. En nuestro caso, no habrá amparo para ningún tirano, para ningún mandón.

—¿No teme usted por su vida?

—Leí una vez que los cambios duros vienen acompañados de una fuerte sacudida, y yo, por lo general, ando siempre bien sujeto.

—¿Sigue usted alguna religión, algún sistema de pensamiento?

—Yo sigo la corriente filosófica del pragmatismo, es decir, teoría y práctica, así he funcionado toda mi vida. No pertenezco a religión alguna, pero creo en un ser llamado Dios a quien le atribuimos la creación de todo. Eso obedece, precisamente, a que el hombre no ha sabido explicar en miles de años la existencia de los seres humanos, de nuestro destino y del universo. Al enredarse con todo esto, mira al cielo de nuevo y no haya más explicación que la primera. Esa es la razón por la cual, a mi manera de ver las cosas, la paz espiritual y de conciencia sean tan fundamentales. La fuerza verdadera en lo que crees te traerá beneficios. Yo llevo conmigo y en todo momento a Calíope, que significa 'la de la bella voz', hija de Zeus y Mnemosine, musa de la elocuencia y de la retórica, inspiración de la poesía épica.

Cuando Valiente comenzó a desabotonar lentamente su camisa, los camarógrafos se activaron para enfocar de cerca lo que estaría por verse. En efecto, sacó un talismán brillante, lo enderezó un poco y lo mostró. Se trataba de una diosa de aire sublime y corona dorada, pegada a una medalla que a su vez pendía de una cadena igual de plata. Según dijo, le prevenía cada día del ego y la vanidad.

—Hace poco, señor Valiente, usted dio un discurso en Venezuela, en la isla Margarita, y allí se le oyó claramente repetir que la unión de Colombia y Venezuela ya era un hecho cierto. ¿Cómo afirmar eso, si hasta ahora ningún organismo internacional competente así lo ha declarado? ¿No cree que fue apresurada esa afirmación?

—No piense usted que me contradije, en mi primera respuesta yo hice referencia a la unión de derecho, y en la isla Margarita aludí a la unión de hecho. Desde tiempos antiguos, el hombre ha definido con claridad la justicia y en nada ha cambiado hasta ahora. Los grandes pensadores, los grandes juristas y filósofos, han sostenido en líneas generales que la justicia es el principio moral que se inclina a juzgar y a proceder respetando la verdad, y dando a cada persona lo que le corresponde. A ver, es un principio universal que rige la aplicación del derecho bajo tres valores: equidad, libertad e igualdad. Amiga Jancot, el derecho positivo, que son las normas jurídicas escritas, cobra vitalidad gracias al amparo y al sustento que le da el derecho natural. Eso significa entonces, por lógica, que esta nueva patria a la que llamamos Patrias Unidas ha sido reconocida por este último, por la voluntad manifiesta de ambos pueblos.

Cuando la periodista quiso averiguar de dónde le había venido el título de su libro: *Bisagra*, recibió esta respuesta:

—Una bisagra son dos piezas articuladas por un eje en común, una es fija y la otra móvil. En este caso: el eje en común es nuestra historia similar; la pieza fija, el inmenso territorio; y la pieza móvil, el ir y venir de la gente entre ambas regiones.

—¡Ah, muy bien! —exclamó ella.

—¿Ha considerado que pudiera estallar otra Cosiata, en caso de que su movimiento salga triunfante?

—No tendría sentido, ¿quién podría decir qué cosa para ponerla en marcha? Eso se caería por su propio peso —dijo tajante.

Las respuestas de Valiente se hacían sentir, del mismo modo que la perspicacia de la veterana periodista. Era un programa caliente con una audiencia televisiva extraordinaria y un público a reventar.

—Estos últimos treinta minutos serán todos suyos señor Valiente, pero antes quisiéramos saber cuál es su país de origen, su gentilicio.

—¡Con mucho gusto! —respondió con aplomo—, yo soy de estas dos patrias, por tanto, *patriaunidense*. Ahora quisiera leer unas décimas que están contenidas en este libro cuyo autor es mi padre. No tardaré:

Décimas efervescentes

He conseguido el favor
de mi padre decimista,
quien además de cronista
ha sido mi fiel mentor.
Un estudioso señor
como siempre nos comenta,
le daría la herramienta
dos pueblos la inspiración,
para narrar con pasión
todo lo que aquí nos cuenta.

En Ronda, Andalucía
los versos son aguamiel,
donde a Vicente Espinel
se le escucha todavía.
Donde músico se haría
poeta y buen escritor,
igual capellán mayor
con el tiempo sacerdote,
vaya pues para el quijote
esta décima en su honor.

Recítalas con agrado
con buena modulación,
me pidió con emoción
mi padre considerado.
Hoy su apoyo me ha brindado
con sus versos diferentes,
décimas efervescentes
que expresan el *movimiento*,
echándonos todo el cuento
en las estrofas siguientes.

Algo habrá de suceder
algo ya viene pasando,
según se está divulgando
la noticia por doquier.
Cuentan que está por nacer
como todo el mundo aprecia,
una patria que se enrecia
y se forma con la unión,
de la tierra de Colón
y la pequeña Venecia.

Hablan que llegó la hora
de las dos patrias unidas,
acopladas, decididas
con nuevos aires de aurora.
Cada marcha alentadora
del uno y del otro lado,
tiene al mundo embelesado
por lo que se viene dando,
como se está consumando
lo que fue predestinado.

Dando curso a lo posible
enfrentan el desafío,
el *Gloria al pueblo bravío*
y el *Oh gloria inmarcesible.*
Y este paso indiscutible
que ha dado cada nación,
nos motiva la canción
Gloria a las patrias unidas,
inmarchitables, prendidas
bravo pueblo su bastión.

La bandera renaciente
tras un acuerdo a tenor,
mantendrá el tricolor
fulguroso y reluciente.
Amarillo por la fuente
de abundancia y bienestar,
el púrpura para honrar
nuestra lucha y fortaleza,
y el azul por la grandeza
de nuestro cielo y el mar.

Cada patria ya asevera
confirmándose el encuentro,
que agregaron en el centro
la luz que el cielo nos diera.
Es que además la bandera
de la recién comunión,
luce por definición
como lo han querido ellas,
las cincuenta y siete estrellas
que le dan fuerza a la unión.

Se ha sumado cada estado
y cada departamento,
con total desprendimiento
tal como lo han acordado.
La cuenta ya se ha sacado
sin tecnicismos formales,
cincuenta y cinco causales
treinta y dos más veintitrés,
para sumarle después
dos más por sus capitales.

Juntando escudo y escudo
uno solo ha de quedar,
el que habrá de perdurar
con fortalecido nudo.
Toda la honra al desnudo
ha de tener el blasón,
llevará la distinción
de la unión y la hermandad,
del orden, la libertad
Dios, patria y federación.

Otros símbolos se vieron
de forma significante,
una **orquídea** cautivante
y que ambas acogieron.
Los otros cuatro se unieron
compartiendo el mismo cielo,
y es que el **turpial** alzó vuelo
hacia la **palma de cera**,
y el **araguaney** espera
que el **cóndor** llegue a su suelo.

Símbolos de persistencia
de mayo y oro sus flores,
blasones multicolores
de unión y de convergencia.
Todos cargan en esencia
y con sobradas razones,
las dos representaciones
decretadas como emblemas,
las distintivas diademas
que embellecen mis naciones.

Se ha de lograr tras la unión
asumiendo el potencial,
otra estructura social
con libertad de expresión.
La mejor educación
salud con seguridad,
la plena estabilidad
y un producto interno bruto,
que nos brinde en absoluto
la menor desigualdad.

Apure se ha unido ya
haciendo la propaganda,
con **Trujillo**, con **Miranda**,
Putumayo y **Caquetá**.
Huila, **Caldas**, **Boyacá**
La Guaira, **Zulia**, **Guaviare**,
Risaralda se amoldare
con cuatro más decididas,
Amazonas aguerridas
Táchira y el **Casanare**.

Dos **Sucre** se han levantado
como lo ha hace **Tolima**,
un **Cojedes** que se anima
con **Carabobo** a su lado.
Un **Magdalena** animado
Delta Amacuro se enmarca,
todo el interés abarca
a **Nariño** y **La Guajira**,
y el **Cauca** al igual inspira
a **Lara** y **Cundinamarca**.

Divisando la proeza
Córdoba con **Santander**,
a todos dejaron ver
su energía y fortaleza.
Al unirse **Portuguesa**
Nueva Esparta supo dar,
un buen paso al apostar
por otro brillante día,
notando la valentía
de **Atlántico** y el **Cesar**.

66

El **Norte de Santander**
Antioquia, **Vaupés**, **Arauca**,
Mérida y **Valle del Cauca**
dignos del acontecer.
Lucharían sin temer
como **Guainía** lo jura,
Yaracuy el triunfo augura
con **Barinas** y **Chocó**,
Monagas la enalteció
y **Anzoátegui** lo procura.

Y con igual proporción
cada **Bolívar** valida,
la prueba sobrevenida
con sólida decisión.
Así **Quindío** y **Falcón**
ya tienen por la cruzada,
una táctica trazada
cual insuperable atleta,
el **Guárico** con el **Meta**
y **Aragua** con el **Vichada**.

Igual el lazo imagina
otro con gran congruencia,
y es: **San Andrés, Providencia**
junto a **Santa Catalina**.
Así, pues, se compagina
haciendo un departamento,
por ello con basamento
van Colombia y Venezuela,
cuidando cual centinela
el firme y fiel juramento.

Caracas con **Bogotá**
sus distritos capitales,
serán los ejes centrales
que todo registrará.
El mundo se asombrará
al saber del documento,
lleno de gran fundamento
en fin, la declaratoria,
que habrá de llenar de gloria
el histórico momento.

Tiempo para no parar
días sin vacilación,
con **Los Teques**, **La Asunción**
con **Tunja** y **Valledupar**.
San Andrés no ha de esperar
y un gran esfuerzo acredita,
Ciudad Trujillo palpita
el mismo final persigue,
Puerto Carreño le sigue
con **Arauca** y **Tucupita**.

Animados por el reto
de aquel esfuerzo complejo,
van **Cali** con **Sincelejo**
San Carlos, **Barquisimeto**.
Con el ánimo repleto
ciudad **La Guaira** seguía,
Pereira se sumaría
Santa Marta con **Yopal**,
Coro lo hizo por igual
Maracay y **Montería**.

Llenas de tanto trajín
jubilosas juntas van,
con **Barinas**, **Popayán**
San Felipe y **Medellín**.
A **Ibagué** y a **Maturín**
ya nada los detendrá,
ya nada se alterará
con los hechos tan reales,
Riohacha, **Manizales**
el **Armenia** y **Cumaná**.

Una que otra idea se entona
con **Barranquilla** acoplada,
Neiva se ve entrelazada
con **Quibdó** y **Barcelona**.
Si alguno más se apasiona
que **Mitú** también figure,
que corra, que se apresure
tal como **Pasto** animosa,
ciudad **Mérida** va airosa
y **San Fernando de Apure**.

Que toda duda se aclare
que no se guarde silencio,
así va **Villavicencio**
y **San José de Guaviare**.
Puerto Ayacucho y **Guanare**
han dado ya su primicia,
generando la noticia
va **Inírida** con **Valencia**,
Bucaramanga, **Florencia**
junto a **Cúcuta** y **Leticia**.

San Juan de los Morros tiene
el derecho similar,
de su gran aporte dar
por todo lo que deviene.
San Cristóbal lo sostiene
Mocoa se concatena,
Ciudad Bolívar se estrena
como había prometido,
y en ese mismo sentido
Maracaibo y **Cartagena**.

Estados, departamentos
con cuatro distritos más,
y se unen, además
todos los corregimientos.
Han puesto ya los cimientos
codo a codo, por iguales,
dependencias federales
superficie de aire y mar,
cada región insular
y las zonas especiales.

Municipios sin temor
se suman uno tras uno,
sin que se quede ninguno
por esta causa mayor.
Bogotá, **Libertador**
y Amazonas es propicia,
pues con ejemplo se inicia
a favor del movimiento,
dando así su valimiento
Puerto Nariño y **Leticia**.

Arauca nos dio su aporte
y empezó con **Arauquita**,
municipio **Arauca** invita
Tame, **Fortul**, **Cravo Norte**.
Saravena igual soporte
en esta lucha de unión,
dando así su aprobación
como lo ha indicado,
con gusto, bien integrado
lo mismo **Puerto Rondón**.

Atlántico bien se empapa
Polonuevo dio su luz,
Suan, **Campo de la Cruz**
Usiacurí con **Galapa**.
Manatí en otra etapa
Malambo se puso al día,
Santo Tomás le seguía
Repelón se entusiasmó,
Puerto Colombia, **Piojó**
Tubará, **Santa Lucía**.

Sabanagrande se embarga
el **Ponedora** se anima,
Baranoa se encamina
Soledad, **Sabanalarga**.
Luruaco su paso alarga
ya va dejando su estela,
Barranquilla se revela
por *la causa* necesaria,
Juan de Acosta, **Candelaria**
con el **Palmar de Varela**.

Antioquia fue la siguiente
con **Guarne** y **Alejandría**,
el **Tarso** contribuía.
Rio Negro y **San Vicente**.
El Tarazá concurrente
Zaragoza lo juró,
Copacabana, **Yondó**
Caldas, **El Bagre**, **Nechí**,
Santo Domingo, **Itagüí**
Girardota, **Yolombó**.

Medellín seguidamente
Andes, **San Juan de Urabá**,
Sabaneta, **Cocorná**
con todo aquel residente.
Una marcha contundente
que un líder organizó,
La Estrella, **Chigorod**ó
Urrao, **Buriticá**,
San Luis, **La Unión**, **Amagá**
Uramita, **Giraldó.**

Una participación
pujante todos los días
Anorí, con **Don Matías**
Ebéjico, **Concepción**.
Apostaban por la unión
y por la gesta gloriosa,
por la dicha más dichosa
Arboletes, **Murindó**,
el **Caracolí** se unió
y el municipio **Barboza**.

Gómez Plata les siguió
Bolívar y **San Andrés**
de Cuerquia y esta vez
Montebello, **Jericó**,
Olaya, **Apartadó**
El retiro y **Mutatá**,
Vigía del Fuerte va
animado y lo acompaña,
San José de la Montaña
y **San Pedro de Urabá**.

Ituango, el **Envigado**,
San Carlos, **San Rafael**,
Bello y **Yalí** buen papel
el **Caucasia** no ha parado.
Titiribí aferrado
Entrerríos, **Abriaquí**,
Armenia y el **Necoclí**
el **Dabeiba** lo convino,
Anzá, **Toledo**, **Frontino**
Cañasgordas, **Vegachí**.

Angostura, misma andada
Remedios sigue el andar,
Peque, Betania, Salgar
Pueblorrico, La Pintada.
Santa Bárbara, Granada
Guadalupe, Yarumal,
Belmira, Abejorral
Caramanta, Campamento,
Amalfi, presto al momento
El Carmen de Viboral.

Así, sumándose van
Caicedo, Turbo, Briceño,
Sabanalarga antioqueño
Marinilla, Sopetrán.
Otros dispuestos están
poniendo un granito a diario,
sumándose al escenario
Angelópolis, Maceo,
Venecia sigue el conteo
con el **San Roque** y **Santuario**.

Fredonia y su compromiso
de aquel que nunca dudé,
Puerto Nare, Santa Fe
Carepa y **Valparaíso**.
Todos van dando el aviso
de que saldrán muy airosos,
de sentirse venturosos
como **Hispania** dice al fin,
Segovia, Sonsón, Jardín
y **Santa Rosa de Osos**.

Con la misma disciplina
y llama libertadora,
Argelia va sin demora
Heliconia y **Liborina**.
Nariño con **Carolina**
del Príncipe al mismo paso,
si ha de morir el ocaso
ha de llegar otro día,
la aurora ha de ser la guía
cual el poema Pegaso.

San Jerónimo y **Cisneros**
El Peñol, **Puerto Berrío**,
con el símil señorío
que tuvieron los pioneros.
Lo mismo que los primeros
piden que Dios los proteja,
que la lucha nueva y vieja
esta vez se ve apoyada,
concentrada y ayudada
con **Puerto Triunfo** y **La Ceja**.

Y **Valdivia** se entregó
por entero aquel buen día,
el **Guatapé** marcharía
como cada cual marchó.
Cáceres bien se plegó
honrando así su promesa,
Támesis con gran nobleza
alzó su mano de lucha,
y en cualquier lugar se escucha,
su grito con gran firmeza.

San Francisco confirmó
que sí participaría,
Betulia así lo diría
y **Concordia** se anotó.
Un ideal despertó
mil gracias a Dios, amén,
y palpable como ven
está como un duro cedro,
apoyado con **San Pedro**
de los Milagros también.

De un Bolívar: **Norosí**
desde la primera cita,
Montecristo, **Margarita**
Soplaviento, **Simití**.
Talaigua Nuevo y **Achí**
Arroyohondo en acción,
Clemencia sin condición
Arjona sigue su instinto,
con **Cicuco**, **San Jacinto**
con **Córdoba** y **El Peñón**.

Aquel grandioso escenario
brillaba cual luz divina,
con el **Santa Catalina**
y el **Altos del Rosario**.
San Jacinto refrendario
de lo que estaba pasando,
Calamar se iba integrando
como **Mahates**, de lleno,
con **San Juan Nepomuceno**
Regidor y **San Fernando**.

Avanzaba la misión
de la odisea gloriosa,
Tiquisio y **Santa Rosa**
con propuestas a montón.
Carmen de Bolívar con
el tema binacional,
un punto incondicional
Guamo y **San Martín de Loba**,
con gente resuelta y proba
Villanueva y **Arenal**.

Cantagallo el buen manejo
del esfuerzo en formas tales,
San Cristóbal y **Morales**
Pinillos y **Río Viejo**.
San Pablo es otro reflejo
de lucha con **Turbaná**,
Barranco de Loba está
día a día trabajando,
María la Baja andando
Turbaco no faltará.

Hatillo de Loba viene
con mucha disposición,
notándose y con razón
que su alegría mantiene.
Santa Cruz de Mompox tiene
bien concentrada su fe,
San Estanislao se ve
atendiendo la demanda,
Santa Rosa del Sur anda
con **Zambrano** y **Magangué**.

Apareció Boyacá
logrando aquello impulsar,
Tunja para comenzar
Firavitoba, **Soatá**.
Ráquira, **Moniquirá**
Quípama y **Sutamarchán**,
dispuestos se agruparán
por este final cercano,
con **Paipa**, con **Jenesano**
con **Cerinza** y con **Güicán**.

Se tendrá la recompensa
habrá bonito final,
el pueblo de **Macanal**
se apoya con **Sutatenza**.
Tipacoque, **Paya**, **Tenza,**
San Eduardo, **Cubará**,
Chíquiza, **Sotaquirá**
Motativa buena aliada,
El Cocuy, **Ventaquemada**
Aquitania y **Samacá**.

Que el esfuerzo sí valió
se dirá tras la conquista,
Caldas, **Coper**, **Buenavista**
Betéitiva, **Jericó**.
El Espino recordó
a los colaboradores,
a miles de soñadores
cómo es que su marcha afina,
el **Pisba** igual se encamina
Boavita y **Miraflores**.

Dos patrias dando señales
todo un continente en jaque,
Arcabuco, **Chiritaque**
Panqueba, **Páez**, **Corrales**.
Por los mismos ideales
Ciénega, **Sora**, **Rondón**,
Cómbita, **Nuevo Colón**
La Uvita, **Sativasur,**
con **San Pablo de Borbur**
Duitama y **Susacón**.

Cada pueblo, cual coloso
bajo su libre albedrío,
Tibasosa, **Paz de Río**
La Victoria, **Campohermoso**.
Nobsa, **Pesca**, **Sogamoso**
Toca, **Puerto Boyacá**,
Siachoque y **Chiquinquirá**
Tunja le pone vigor,
Santana, **Pauna**, **Chivor**
Garagoa y **Saboyá**.

Con otras más se acredita
para seguir el conteo,
Labranzagrande, **Barbeo**
Tuta, **Chiscas**, **Chinavita**.
Guacamayas, **Socha**, **Chita**
San Mateo, **Boyacá**,
Sáchica, **Viracachá**
luchar ha de ser el verbo,
Santa Rosa de Viterbo
Zetaquira, **Oicatá**.

Al igual se dieron cita
como está quedando escrito,
el **Otanche**, **Pajarito**
por esta alianza bendita.
Apareció **Pachavita**
como un cantor lo improvisa,
y ha dicho una poetisa
de manera sugerente,
que **Tasco** vaya igualmente
juntando a **Muzo** y a **Iza**.

Cada minuto una nota
a cada instante un reporte,
por ello **Sativanorte**
San José de Pare y **Tota**.
El ánimo así rebota
a **Floresta** y **Tununguá**,
Cucaita, **Busbanzá**
con el **San Miguel de Sema**,
y vociferan el tema
Úmbita y **Gachantivá**.

El **Mongua** y **Soracá**
se vieron con **Maripí**,
Villa de Leyva, **Togüí**
con **Belén** y **Tibaná**.
Somondoco, **Chivatá**
Guateque, **Santa María**.
Gámeza, **Santa Sofía**
como al igual se le ve,
a **Tutazá**, **Turmequé**
Cuítiva, **Covarachía**.

Seguidamente el terreno
con **Guayatá** se abonó,
así su fila cerró
con el **San Luis de Gaceno**.
Un departamento pleno
con **Tópaga** contará,
La Capilla, **Tinjacá**
el **Almeida** con **Monguí**,
Briceño, **Ramiriquí**
cerrando con **Socotá**.

Caldas al igual tenía
por la gloria mucha sed,
Manizales, **La Merced**
Anserma y **Villamaría**.
Acordaron con **Supía**
Norcasia y **Chinchiná**,
un nuevo sol brillará
por esta patria sagrada,
Risaralda, **La Dorada**
Riosucio, **Samaná**.

Con idéntica doctrina
que tienen todos sus pares,
Marquetalia, **Manzanares**
Aranzazu, **Palestina**.
Pácora con **Salamina**
con mujeres animadas,
todas bien acompañadas
como se nota en la tanda,
a **Neira** con **Marulanda**
y a **Viterbo** con **Aguadas**.

Que gratificante fue
muy agradable, muy grato,
ver a **Victoria** y **Marmato**
Filadelfia y **San José**.
Pensilvania con buen pie
Belalcázar tiende un puente,
sabe lo que el pueblo siente
en esta gran decisión,
ocupando la región
llamada Bajo Occidente.

Los otros del Caquetá
dan lo que se necesita,
Doncello, **La Montañita**
Cartagena del Chairá.
Solano animado está
Albania y **Puerto Milán**,
Solita y **Curillo** harán
más bulla con **Puerto Rico**,
Florencia cual abanico
San Vicente del Caguán.

San José de Fragua estuvo
fulgente cual mil rubíes,
Belén de los Andaquíes
todo el ímpetu sostuvo.
Un **Paujil** que se mantuvo
para defender la idea,
la nueva bandera ondea
asumiendo el compromiso,
Morelia y **Valparaíso**
dando la dura pelea.

El Casanare consigo
Recetor y **Villanueva**,
el **Támara** que conlleva
ser por lo demás testigo.
Un departamento amigo
en esto coyuntural,
contando así con **Yopal**
en la lucha dulce amarga,
Monterrey, **Sabanalarga**
Pore y **Hato Corozal**.

Nunchía y el **Tauramena**
con el **Maní** se les ve,
Trinidad con **Orocué**
completando la docena.
Chámeza que no es ajena
por la constancia se inclina,
perseverante camina
sin hallar forma mejor,
conociendo la labor
de **Sácama** y **La Salina**.

Y en este peregrinar
se busca el nuevo país,
con **Aguazul** y **San Luis**
de Palenque sin dudar.
Allí se pudo escuchar
con un retumbar sonoro,
las estrofas con su coro
prestándose buen oído,
el himno nuevo aprendido
cantado en **Paz de Ariporo**.

El Cauca con **Piendamó**
López de Micay, **Balbao**,
Santander de Quilichao
Santa Rosa, **Jambaló**.
Sucre, **Silvia**, **Totoró**
con el **Popayán** bravío,
Villarica, **Cajibío**
Buenos Aires, **Guachené**,
San Sebastián, **Puracé**
Páez, **Bolívar**, **Timbío**.

Toribio al igual se entrega
en **Guapí** basta una ojeada,
Padilla, **Puerto Tejada**
con el **Florencia** y **La Vega**.
Un **Patía** que se plega
y en medio de sus quehaceres,
van los hombres y mujeres
de **Corinto**, **Sotará**,
de **Piemonte** y de **Inzá**
de **Calato** y **Mercaderes**.

El **Tambo** se hace valer
Rosas se sigue animando,
Miranda se va entregando
con **Argelia** y **Almaguer**.
Suárez en su parecer
que **Timbiquí** y **Morales**,
pide se abran los canales
con el **Caldomo** y **La Sierra**,
para defender la tierra
en los momentos cruciales.

Cesar se suma al fortín
se reafirma y da la talla,
Chiriguaná y **Pelaya**
Pueblo Bello y **San Martín**.
Con los demás el afín
demostrando ser capaz,
un **Valledupar** tenaz
cada pueblo lo alardea,
lo comentan en **Astrea**
Tamalameque y **La Paz**.

Estas dos patrias, por cierto
mantienen la misma garra,
Curumaní con **Gamarra**
Chimichagua, **San Alberto**.
Con miras al mismo puerto
y con las olas cerquita,
se han de doblegar las cuitas
que puedan sobrevenir,
El Paso habrá de seguir
Río de Oro y **Pailitas**.

Esfuerzo que dignifica
al construir la victoria,
con **Becerril**, con **La Gloria**
con **González** y **Aguachica**.
El **Bosconia** se dedica
hora a hora sin sosiego,
ayuda pide en su ruego
y más sentida oración,
con la misma posición
van **El Copey** y **San Diego**.

El pueblo firme sostiene
que una devoción se fragua,
y ha pedido que **La Jagua
de Ibirico** al fin retruene.
Agustín Codazzi tiene
parte en la gran coalición,
pues con **Manaure**, **Balcón
del Cesar** se está contando,
y su ejemplo va dejando
tras su participación.

Siendo el grupo del Chocó
ya se mira a **Bojayá**,
el **Belén de Berijá**
Carmen del Darién, **Quibdó**.
Atrato y **Alto Baudó**
con **Riosucio** estarán,
con **Río Iró** vendrán
el **Condoto** con **Nuquí**,
Cantón de San Pablo y
Nóvita, **Medio San Juan**.

El Litoral de San Juan
con el **Bahía Solano**,
Istmina ya alzó la mano
y su apoyo sostendrán.
Con el **Cértegui** estarán
el **Medio Atrato** y **Lloró**,
el **Acandí**, **Juradó**
luchando cada semana,
la **Unión Panamericana**,
Tadó y **Bajo Baudó**.

Al fin el departamento
en una noble jornada,
con la cara levantada
honraba su juramento.
Unguía con ceñimiento
Bagadó un ejemplar,
Río Quito sin dudar
Medio Baudó presto al rato,
Sipí, **El Carmen de Atrato**
con **San José de Palmar**.

Córdoba puso su acento
con **Puerto Libertador**,
y siguiendo al anterior
San Andrés de Sotavento.
A **San Bernardo del Viento**
que ya estaba prevenido,
a **Montería** se ha unido
muy conscientes de aquel fin,
Valencia, **Chima**, **Tuchín**
Tierralta y **Puerto Escondido**.

Con decisión afrontada
siguiendo por el carril,
Montelíbano, **Momil**
Los Córdoba, **La Apartada**.
Chinú la tiene jurada
Ayapel es optimista,
Cotorra suma activista
de la faena en común,
Planita Rica, **Sahagún**
San Pelayo y **Buena Vista**.

El **Purísima de la**
Concepción y **Cereté**,
así **San José de Uré**
Moñitos se sumará.
Pueblo Nuevo listo está
Ciénaga de oro predica,
la unión y la dignifica
Canalete por entero,
San Carlos con **San Antero**
el **Santa Cruz de Lorica**.

Cundinamarca tendrá
un digno lugar ganado,
un signo recio marcado
que pronto se escribirá.
Allí se revelará
con **Pandi** su intervención,
con **Suesca** y **Villapinzón**
con **Tibirita** y **Vianí**,
Villagómez, **Yacopí**
Agua de Dios y **El Peñón**.

Un gran municipio vi
de forma sensacional,
mirando a **Guayabetal**
juntarse con **Guataquí**.
Tocaima y **Caparrapí**
con **Nariño** y **Ubalá**,
Guaduas, **Nilo**, **Supatá**
Lenguazaque, **Sutatausa**,
El Colegio, **Manta**, **Tausa**
Subachoque y **Chocontá**.

Y se pudieron juntar
Anolaima y **El Rosal**,
con el cauce de un raudal
Nemocón, **Puerto Salgar**.
Se pudieron agrupar
La Calera, **Sesquilé**,
el **Soacha**, **Ubaté**
el **Vergara** y el **Albán**,
Quebradanegra, **Beltrán**
Guatavita, **Sibaté**.

La Peña se desplegó
pensando en la gran nación,
a **Ricaurte** y **Zipacón**
enseguida se plegó.
Jerusalén se juntó
con **Fómeque** y **Machetá**,
Quetame, **Tocancipá**
Chaguaní muestra su entrega,
con **Simijaca**, **La Vega**
Girardot, **Zipaquirá**.

Se miraban dondequiera
grandes pancartas alzadas,
los valientes sin espadas
con una sola bandera.
Como el mundo lo dijera
esa fecha llegará,
Sasaima, **Gama**, **Viotá**
Villeta, **Guasca**, **Nocaima**,
Paratebueno, **Nimaima**
Choachí, **Fusagasugá**.

Apulo llama a la gloria
y **Quipile** le seguía,
San Cayetano y el **Chía**
llamaban a la victoria.
Sopó, en forma notoria
Junín, Cogua, Guachetá,
Paime, Pacho, Cajicá
Arbeláez y **Cabrera,**
Tibacuy, Madrid, Mosquera
Fosca, Facatativá.

Un gran empuje se afina
en cada marcha se nota,
San Francisco con el **Cota**
avanzan con el **Medina.**
Cada cual ya se encamina
sin detenerse ante nada,
la lucha se ve abrigada
por nada se detendrá,
Chipaque, Cucunubá
Funza, Útica, Granada.

Con la misma fortaleza
van por el mismo caudal,
el **Gachalá, Guayabal**
de Síquira" con **La Mesa.**
Pensando en la gran proeza
Bituima al igual saldrá,
Ubaque con **Gachetá**
el **Une, Tabio** y **Pulí,**
estos junto a **Topaipí**
Pasca, Tenjo, Bojacá.

Cristalina tarde llena
de mejores decisiones,
contando los eslabones
de esta grandiosa cadena.
Gachancipá con el **Tena**
de los demás se hacen eco,
Cachipay lanza su leco
cuando **Gutiérrez** lo aúpa,
así **Carmen de Carupa**
y **San Juan de Rioseco.**

Lejos de que fuera ilusa
la tan mencionada idea,
se mira cada asamblea
por el contrario, profusa.
Han dicho que al fin el **Susa**
y **Cáqueza** se juntaron,
y en una ocasión juraron
con **La Palma** y **San Bernardo**,
obrar sin ningún retardo
como los demás obraron.

Silvania esta vez arrecia
con la cruz ante el demonio,
Anapoima y **San Antonio**
de Tequendama y **Venecia**.
Han sentido que se aprecia
la gran solidaridad,
arraigo y puntualidad
rescatadas de un ayer,
sin que se vuelva a perder
la honra, la lealtad.

Huila tiene desafiante
una ruta que seguir,
un fin que debe cumplir
bajo su ritmo constante.
Con **Guadalupe** y **Gigante**
Saladoblanco se ata,
El **Palermo** se retrata
Campoalegre y **El Agrado**,
el **Neiva** se ha retratado
San Agustín y **La Plata**.

América ya sabía
que no era cosa cualquiera,
con **Aipe**, **Suaza**, **Rivera**
con **Tello** y **Santa María**.
Villavieja sostenía
que la yunta era vital,
necesaria, primordial
llamando la aspiración,
de contar con el **Garzón**
Pitalito y **El Pital**.

Elías así lo siente
como **Tesalia** se mira,
Oporapa y **Atamira**
Tarqui sigue la corriente.
Nátaga frecuentemente
pide que el fin se defina,
Íquira con **Argentina**
Isnos, **Teruel**, **Timará**,
Algeciras, **Yaguará**
con **Baraya** y **Palestina**.

Con su amplia cordillera
el leal departamento,
compartía el lineamiento
desde una vez primera.
Paicol igual se empodera
Hobo lo ha tomado quedo,
sin un mínimo de miedo
muy firme, contrariamente,
y contando con la gente
de **Colombia** y **Acevedo**.

Y con seis corregimientos
está presente Guainía,
sus municipios al día
contra mareas y vientos.
Ante los duros momentos
se prepara el arsenal,
Barrancominas frontal
con el orgullo guainiano,
junto a su único hermano
Inírida capital.

Como quien va a navegar
y emprende su travesía,
Guaviare nos mostraría
su apoyo con **Calamar**.
Miraflores ha de dar
la misma sustentación,
la misma motivación
para que nadie se pare,
y el **San José de Guaviare**
nos llena igual de ilusión.

Por La Guajira transita
el honor neogranadino,
con el **Maicao**, **Molino**
Villanueva y **Urumita**.
De todos se necesita
mucha cooperación,
Dibulla a disposición
con **La Jagua del Pilar**,
Manaure quiso avanzar
con **Fonseca** y **Distracción**.

Costa de miles palmeras
dunas de arenas gigantes,
bailes, alegres danzantes
y muchas villas pesqueras.
Con **Uribia** te abanderas
a confirmarlo me atrevo,
que buena impresión me llevo
que buena musa me arrancas,
San Juan del Cesar, **Barrancas**
el **Albania** y **Hato Nuevo**.

Ya Magdalena coordina
bajo un cielo matutino,
con **Chibolo**, **Remolino**
Sitionuevo y **Salamina**.
Cada uno se encamina
de manera fraternal,
en el momento crucial
Santa Marta se destaca,
Plato con **Aracataca**
Nueva Granada y **Guamal**.

Pijiño del Carmen con
Tenerife y **Santa Ana**,
gente de pueblo y urbana
en cada concentración.
Una gran expectación
el **Pueblo viejo** rebasa,
el **Algarrobo** se enlaza
Ariguany y **Sopayán**,
Pivijay, **San Sebastián**
con **Buena Vista** y **Pedraza**.

En una sola ovación
y con la sangre señera,
va el **Zona Bananera**
el **Ciénaga** y **El Piñón**.
Concordia y **San Zenón**
y en un acto no distinto,
va seguido de este quinto
el **Cerro de San Antonio**,
dejando su testimonio
Santa Bárbara de Pinto.

Concentradas para bien
poniendo las mismas ganas,
el municipio **Sabanas
de San Ángel** y **El Retén**.
Comprometidos se ven
como nunca se han mirado,
como lo habían trazado
sujetándose al timón,
sumándose **Fundación
Riohacha** desplegado.

El Meta se restearía
por unir ambos países,
con sus diversos matices
la misma filosofía.
Aquel **Barranco de Upía**
se juntó con **Cubarral**,
La Uribe con el **Guamal**
Fuente de oro con **Granada**,
igual por la patria amada
Restrepo con **Cumaral**.

Puerto Concordia dijera
hay que unir todas las piezas,
armar el rompecabezas
que la vida nos trajera.
Castilla la Nueva espera
lo que dos pueblos soñado,
Villavicencio ganado
gracias a nuestro fortín,
San Juanito, **San Martín**
Macarena y **El Dorado**.

Puerto López y San Juan
de Arama con El Calvario,
un vínculo necesario
que acató Mapiripán.
Mesetas, Puerto Gaitán
Lejanías está claro,
y sin guardar en reparo
en su vigilia copiosa,
Acacias y Vista Hermosa
El Castillo, Cabuyaro.

Igual que las tolvaneras
el proyecto iba creciendo,
paso a paso discutiendo
adentro y aguas afueras.
Con su razón Puerto Heras
suplicó no se corroa,
que en ambos pueblos se loa
el Puerto Rico se anima,
siente y comparte su estima
con San Carlos de Guaroa.

Nariño dispuesto está
a brillar como su sol,
el Pasto con El Peñol
Contadero, Consacá.
Con Córdoba, Sandoná
Mosquera sigue tal cual,
Arboleda y el Cumbal
municipio La Llanada,
continuando en la jugada
Los Andes y Guachucal.

Van declarando su apego
como los otros lo van:
Puerres, Roberto Payán
haciendo crecer el fuego.
Santa Cruz y Samaniego
entregando el alma entera,
El Tambo, Olaya Herrera
Tangua, Ricaurte, Buesaco,
La Tola, Leiva, Tumaco
La Florida y el Mosquera.

Ya todos ven que germina
la semillita sembrada,
muchísima más cuidada
y a crecer más se destina.
Dicen **Aldana** y **Ospina**
darnos frutos al crecer,
pues en este renacer
se ha logrado el buen consenso,
con **San Pablo**, **San Lorenzo**
Gualmatán y **Yacuanquer**.

Ver germinar la semilla
es la noble aspiración,
como lo piden **La Unión**
Linares y **Guaitarilla**.
No es una labor sencilla
Francisco Pizarro exclama,
es que encendida la llama
cada quien la siente suya,
Santa Bárbara y **Ancuya**
el **Túquerres** y el **Mallama**.

Cuaspud sigue en la secuencia
Colón como veloz dardo,
Magüí Payán, **San Bernardo**
El Charco y **Providencia**.
Anunciaron su presencia
como al final describí,
Cumbitara, **Chachagüí**
el **Albán**, **Iles**, **Imués**,
y a **Nariño** siguen tres
Funes, **Belén**, **Potosí**.

El Rosario con **Ipiales**
sin mostrar ningún rezago,
el **San Pedro de Cartago**
La Cruz, **Sapuyes**, **Pupiales**.
Convergidos, consensuales
y mucha cooperación,
Policarpa y **El Tablón**
de **Gómez**, con **Taminango**,
con igual estado y rango
y la misma posición.

El **Norte de Santander**
movilizó para bien,
a **La Playa de Belén**
y los demás a su haber.
Chitagá nos dejó ver
todo detrás del telón,
haciendo su aparición
El Tarra con **Villa Caro**,
El Zulia nos dio su amparo
Chinácota y **Convención**.

Y por todos lados van
miles y miles de almas,
en **Salazar de las Palmas**
en **Pamplonita** y **Herrán**.
A estos se sumarán
otros con mucha pujanza,
como una punta de lanza
con la confianza de hermano,
Ocaña y **San Cayetano**
el **Pamplona** y **La Esperanza**.

Y **Cáchira** al parecer
su inspiración ya desata,
Teorema, **Sardinata**
el **Puerto de Santander**.
Las vivencias de un ayer
que hoy están saliendo a flote,
y han hecho que se alborote
la región americana,
saliendo al toque de diana
El Carmen y **Gramalote**.

Democrático el sistema
no hay otro que deba ser,
el que habrá que defender
por la libertad suprema.
Cúcuta con **Bochalema**
y **Silos** igual muy ledo,
el religioso en su credo
en la iglesia y la capilla,
Arboledas, **Cucutilla**
Bucarasica y **Toledo**.

Por la misma circunstancia
del mencionado santuario,
Tibú, **Villa del Rosario**
con entrega y con prestancia.
Abrego acortó distancia
haciendo su apreciación,
Lourdes misma cohesión
y en aquel congreso mixto,
Hacarí y **San Calixto**
hicieron su aparición.

Mutuisca va floreciente
con un **Santiago** resteado,
y un **Labateca** que ha dado
de todo bajo el gran lente.
Durania espera que aumente
más adeptos cada día,
Cácota ya es mayoría
Los Patios muy fraternal,
Ragonvalia lo hace igual
con gran camaradería.

En otra congregación
Putumayo alza un laurel,
por **Santiago** y **San Miguel**
por **San Francisco** y **Colón**.
Sibundoy, **Villagarzón**
por **Orito** aguardarán,
y en esto todos están
según como percibí,
Valle del Guamuez y
Puerto Asís, **Puerto Guzmán**.

Puerto Leguizamo exhibe
otros laureles al viento,
y le pone más pimiento
como alguien lo describe.
Que retumbe en el Caribe
dijo un viejo del poblado,
y con este se ha anunciado
Mocoa y **Puerto Caicedo**,
bien metidos en el ruedo
como todos han notado.

Quindío al primer intento
el **Armenia** ya se alista,
con **Génova**, **Buenavista**
con **Montenegro** y **Salento**.
Haciéndole seguimiento
verán que se alineará,
con los otros y podrá
contribuir plenamente,
en el revuelo candente
con **Finlandia** y **Calarcá**.

Córdoba en su transitar
andaba pues decidido,
Quimbaya está prevenido
para su grito lanzar.
Con un fuerte palpitar
La Tebaida se congracia,
y de esta forma sacia
las tantas ansias que suda,
acompañando la ayuda
de **Quindío** y de **Circasia**.

Risaralda con **Quinchía**
y **Pereira** se enganchó,
con **Marsella**, **Mistrató**
Balboa y **Belén de Umbría**.
Dosquebradas con **Apía**
un **Puerto Rico** leal,
Guática incondicional
La Virginia con **Santuario**,
La Celia cual visionario
Santa Rosa de Cabal.

San Andrés y Providencia
avanza sincronizado,
y un municipio entregado
con esta nueva vivencia.
Nos confirmó su asistencia
con el **Providencia** pues,
poniendo todo interés
estando así tan lejano,
extendiéndonos la mano
toditos sus comités.

El Carmen de Chucurí
a **Santander** representa,
Sabana de Torres cuenta
el **Aguada** y **Curití**.
California, Carcasí
Lebrija, Macaravita,
La Belleza se acredita
Zapatoca, Puerto Parra,
Coromoto, Cimitarra
Socorro, Molagavita.

Barichara y **Cepitá**
se topan con **San Benito**,
Jesús María, Cerrito
Villanueva, Charalá.
Aratoca, Chipatá
Barbosa y **Concepción**,
Confines, Contratación
Bucaramanga festeja,
Charta, Barrancabermeja
Tona, Chima y **El Peñón**.

Ya **Santa Bárbara** apuesta
tal como **Enciso** lo hace,
al notar cómo renace
esta bonita propuesta.
Rionegro, Piedecuesta
Guadalupe, Guapotá,
Güepca, Hato, Guavatá
con la moral bien arriba,
Puente Nacional, Oiba
Vetas, San Gil, Suratá.

El **Santa Helena de Opón**
El **Guacamayo, Los Santos**,
sumándose muchos tantos
Floridablanca y **Playón**.
Onzaga, Guaca, Girón
como una gota tras gota,
la persistencia se nota
Sucre, Málaga y **Matanza**,
y en virtud de la bonanza
San Joaquín y **Simacota**.

El **Encino** y el **Florián**
Bolívar alegre anda,
un **San José de Miranda**
Ocamonte y el **Jordán**.
Gámbita, **La Paz**, **Galán**
Landázuri sin parar,
Puerto Wilches a la par
Mogotes y **San Vicente**
de Chucurí referente
San Miguel y el **Palmar**.

Que en cada rincón se note
lo que haya que demostrar,
y así ponernos librar
de algún posible barrote.
Albania con el **Pinchote**
Páramo por vez primera,
Palmas del Socorro diera
todo por seguir luchando,
Vetulia se está sumando
Capitanejo y **Cabrera**.

Sucre departamental
allí mismo se adhirió,
con **Ovejas**, **Colosó**
Buenavista, **Corosal**.
Toluviejo, **Majagual**
así **Morroa** y **Caimito**,
San Marcos y **San Benito**
Abad con **Chalán** y **Roble**,
San Onofre a paso doble
San Antonio de Palmito.

Santiago de Tolú con
Sincé, **San Pedro**, **Sampués**,
Los Palmitos a la vez
Sincelejo con **La Unión**.
El Torrente un aluvión
acercándose a la banda,
y, si ninguno desanda
que **Coveñas** se involucre,
San Juan de Betulia y **Sucre**
con **Galeras y Guaranda**.

Tolima sin más detalles
San Antonio, **Alvarado**,
Ortega, **Planadas**, **Prado**
Villarrica, **Roncesvalles**.
Tomaron todas las calles
con **San Luis** y **Chaparral**,
El Guamo, **El Espinal**
con la misma pretensión,
Piedras, **Purificación**
y **Armero Guayabal**.

El **Coyaima** y el **Falán**
en la misión rigurosa,
Santa Isabel, **Villahermosa**
Suárez, **Valle de San Juan**.
Rovira, **San Sebastián**
de Mariquita y **Murillo**,
el **Ibagué** toma brillo
como brilla este fonema,
el **Cunday** con **Ambalema**
Anzoátegui y **Venadillo**.

Lérida tiene el deseo
de que se logre la hazaña,
Ataco, **Fresno**, **Saldaña**
Líbano, **Honda** y **Herveo**.
Echando a un lado el rodeo
ha decidido abrigar,
defender y reafirmar
su apego como remarca,
contando con **Cajamarca**
con **Natagaima** y **Melgar**.

Así lo demostrará
apoyado con **Dolores**,
Coello, otros actores
y **Carmen de Apicalá**.
Icononzo seguirá
como **Flandes** ya lo narra,
una conducta bizarra
que **Casa Blanca** ha tomado,
Palocabildo afanado
Rioblanco y **Alpujarra**.

Valle del Cauca nos da
su apoyo de gran altura,
con **La Unión**, **Buenaventura**
el **Versalles**, **Alcalá**.
El Águila y el **Tuluá**
Yumbo, **Toro**, **Jamundí**,
que el avance siga así
con **La Victoria**, **San Juan**,
a **San Pedro** seguirán
Bautista de Guacarí.

Argelia se entregaría
Candelaria, **Roldanillo**,
el **Ulloa** con **Trujillo**
Bolívar, **Andalucía**.
Sevilla respondería
como el pueblo lo exigiera,
y sin hacer más espera
en este espejo se mira,
como ya se ven: **Palmira**
Vijes, **Restrepo** y **Pradera**.

Ya todos se van sumando
con cada pueblo bravío,
Cumbre junto a **Riofrío**
Ansermanuevo y **Obando**.
A la vez siguen vibrando
en esta lidia social,
la prensa internacional
lo describe lado a lado,
Yotoco ya se ha sumado
como **El Cairo** y el **Zarzal**.

Cartago y **Guadalajara**
de **Buga**, **Dagua** y **Florida**,
con decisión sostenida
Caicedonia da la cara.
El grande **Cali** declara
pidiéndole al Dios bendito,
pidiéndole a su diosito
que **Ginebra** igual se hermande,
El Dovio, **Bugalagrande**
con **Calima** y **El Cerrito**.

Vaupés supo acumular
dada aquella algarabía,
seguridad y energía
para poder continuar.
Tres más por acumular
siguieron aquel sendero,
por el tiempo venidero
el municipio **Mitú**,
seguido de **Carurú**
y **Taraima** de tercero.

Vichada por vez primera
tomó sus riendas y estribo,
y se fue con **Cumaribo**
detrás de **La Primavera**.
Con revuelta y cantadera
Puerto Carreño seguía,
otros con igual valía
avanzan poniendo el pecho,
y con el mismo derecho
lo hace **Santa Rosalía**.

En Amazonas estado
el celo se nota a leguas,
Alto Orinoco sin treguas
ya está bien encaminado.
Atures lo ha demostrado
Maroa y su caravana,
Manapiere audaz allana
un borrascoso terreno,
y **Atabapo** entró de lleno
con **Río Negro** y **Autana**.

Anzoátegui se levanta
como un inmenso castillo,
con **Juan Antonio Sotillo**
con **Independencia** y **Guanta**.
Con **Libertad** se agiganta
con **Francisco Carvajal**,
Manuel Ezequiel Bruzual
Diego Bautista Urbaneja,
Simón Bolívar festeja
con **Juan Manuel Cajigal**.

Y habrá de acontecer
lo que tanto se ha esperado,
Píritu lo ha comentado
y **Aragua** lo deja ver.
Fernando de Peñalver
en igual camino anda,
Santa Ana que se agranda
con **San Juan de Capistrano**,
Simón Rodríguez de plano
con **Francisco de Miranda**.

Hace un corazón de tripa
José Gregorio Monagas,
que se aparten dudas vagas
con mucho acierto anticipa.
Con él, **San Juan de Guanipa**
lleva el juego adelantado,
Pedro Freites reafirmado
su fiel determinación,
Sir Arthur Mc Gregor con
un **Anaco** entusiasmado.

Apure con buen manejo
avanzando coherente,
y levantada su frente
con **Páez**, **Pedro Camejo**.
Cada uno más parejo
Achaguas se fue animando,
Muñoz se va entusiasmando
con la bandera de unión,
Rómulo Gallegos con
el **Biruaca** y **San Fernando**.

La buena obra de Aragua
ha dejado un buen sabor,
Zamora, **Libertador**
Urdaneta y **Camatagua**.
Igual que el maíz camagua
ya próximo a madurar,
cerca está por comenzar
lo que resuena y resuena,
Sucre, **Santos Michelena**
San Sebastián y **Tovar**.

Mario Briceño nos deja
su cuenta bien aclarada,
una palabra empeñada
como ahora nos refleja.
El buen mentor aconseja
no dar el mínimo giro,
en contraste más respiro
y mantenidas las llamas,
como **José Ángel Lamas**
igual que **San Casimiro**.

Para evitar los desmanes
todo se reforzaría,
con cartas de astrología
adivinos y chamanes.
Haciendo efecto los planes
ya se corre en el argot,
que han consultado al tarot
y así con mil malabares,
llegó **Francisco Linares
Alcántara** y **Girardot**.

La médula del asunto
es que de que vuelan vuelan,
y algunos males se cuelan
presentándose en conjunto.
La rebelión en su punto
sin que nada la detenga,
sin que alguien la retenga
nadie hacia atrás mirará,
y con ella contará
José Rafael Revenga.

José Félix Ribas cita
a **Ocumare de la Costa**,
y cada uno reposta
la fuerza que se merita.
Santiago Mariño invita
a que se escuche el runrún,
pues se ha dicho que según
este lance se consagra,
si se logra la bisagra
con este eje en común.

Barinas, igual lo añora
Bolívar, hierro en enalba,
Alberto Arvelo Torrealba
Rojas, **Ezequiel Zamora**.
Cruz Paredes a la hora
Arismendi se entrelaza,
Andrés Eloy Blanco emplaza
que **Barinas** se involucre,
Antonio José de Sucre
Obispos, **Sosa** y **Pedraza**.

Este Bolívar se gana
su renombre sin dudar,
con **Roscio**, **Sifontes**, **Piar**
Heres y **La Gran Sabana**.
Un **Caroní** que se afana
El Callao y su postura,
y en esta lucha tan dura
el **Sucre** va como ven,
con el **Padre Pedro Chien**
con **Cedeño** y **Angostura**.

Cojedes siguió la pista
como **Tinaco** indicaba,
Girardot lo acompañaba
Pao de San Juan Bautista.
Un **Anzoátegui** a la vista
y un **Ricaurte** que avizora,
Lima Blanco al fin aflora
Rómulo Gallegos brega,
y **Tinaquillo** se entrega
con el **Ezequiel Zamora**.

Los colores del estado
el Delta Amacuro agita,
paralelo a **Tucupita**
Casacoima la ha besado.
Antonio Díaz la ha cargado
siendo por demás leales,
uno y otro tales cuales
con una misma visión,
bajo esta condición
municipio **Pedernales**.

En el estado Falcón
José Silva se organiza,
van **Monseñor Iturriza**
Los Taques, **Federación**.
Zamora, **Petit** y **Unión**
cual llama del rey Arturo
y, pensando en el futuro
Acosta, **Buchivacoa**,
Píritu, **Sucre**, **Mauroa**
Tocópero y **Debajuro**.

Contaba un pintor pintando
cual si fuera una oración
«Si llega la inspiración,
que me encuentre trabajando».
Así van parafraseando
algunos al gran Picasso,
cada uno marca un trazo
como **Falcón** y **Colina**,
San Francisco se encamina
y **Urumaco** tiende un lazo.

Esta musa se ha mezclado
como la espuma y la ola,
cual **Jacura** y **Palmasola**
y el **Bolívar** arraigado.
Democracia nos ha dado
un simbolismo y se ufana,
con brío no se amilana
Cacique Manaure apunta,
a que se logre la junta
Miranda y **Carirubana**.

En Guárico se ha aceptado
y dijo echar adelante,
ya salió **Leonardo Infante**
ya saldrá **Julián Mellado**.
Tal como se ha mencionado
por nada se detendrán,
Las Mercedes, **Juan Germán**
Roscio y **Pedro Zaraza**,
y con ellos se desplaza
Esteros de Camaguán.

De voluntades un chorro
no distraerse ni un pizco,
adelante con **Francisco
de Miranda** y **El Socorro**.
Ni un poquitico de ahorro
ni escurrirse por las ramas,
realidades y no dramas
no darles pie a las diatribas,
dice **José Félix Ribas**
con **Ortiz** y **Chaguaramas**.

Y que cada quien se inspire
se pide y hace hincapié,
y **San Gerónimo de
Guayabal** igual se mire.
Santa María de Ipire
pide que se participe,
que lo malo se disipe
apartando las aciagas,
José Tadeo Monagas
y **San José de Guaripe**.

En Lara todos están
como se dijo y previno,
Crespo con **Palavecino**
Iribarren y **Morán**.
Por allí se encontrarán
con uno que otro poeta,
con la noción bien concreta
Torres, **Andrés Eloy Blanco**,
Jiménez el mismo flanco
Simón Planas y **Urdaneta**.

Mérida puso inyección
su banderilla flamea,
Julio César Salas, **Zea**
el **Arzobispo Chacón**.
Rangel y la acentuación
de **Tulio Febres Cordero**,
Sucre le anda muy ligero
y con él pueden contar,
Libertador y **Tovar**
con el **Cardenal Quintero**.

Aricagua prosiguiera
Obispo Ramos de Lora,
seguidos y sin demora
Miranda y **Pedro Noguera**.
Alberto Adriani lo diera
todito y más por aquello,
Santos Marquina por ello
con esfuerzo cotidiano,
acompaña a **Pueblo Llano**
Campo Elías y **Andrés Bello**.

Franelas y cartulinas
pancartas, todo previsto,
un **Justo Briceño** listo
y listo **Pinto Salinas**.
Con los héroes y heroínas
se evita que el barco atraque,
que cada uno destaque
Caracciolo Parra Olmedo,
y celebran cual más ledo
Rivas Ávila y **Guaraque**.

Un Miranda que se reta
con una gran asistencia,
Chacao, **Independencia**
Paz Castillo y **Urdaneta**.
Lo dicho por el profeta
se cumple en forma puntual,
Sucre, **Brión** y **Carrizal**
Simón Bolívar que abraza,
la disposición de **Plaza**
Los Salias y **Pedro Gual**.

El mundo entero avizora
un triunfo sobreseguro,
El Hatillo, **Guaicaipuro**
Cristóbal Rojas, **Zamora**.
Acevedo sin demora
con los otros se computa,
marcando la misma ruta
igual se dejaron ver:
Caripe, **Páez**, **Lander**
el **Andrés Bello** y **Baruta**.

En Monagas se fervora
sin dudar su desempeño,
Uracoa con **Cedeño**
Buroz, **Ezequiel Zamora**.
Acosta así lo valora
Santa Bárbara ha de estar,
a **Maturín** agregar
Aguasa y cual impulsor,
Bolívar, **Libertador**
Sotillo, **Punceres**, **Piar**.

En Nueva Esparta a factores
hubo que enfrentar de pie,
con el **Península de**
Macanao y con **Tubores**.
Arismendi entre clamores
y **Antolín del Campo** había,
retomado aquella vía
y con **Mariño** temprano,
Villalba, **Díaz**, **Marcano**
Maneiro, **Gómez**, **García**.

Portuguesa bien sabía
de hidalguía, de tesón,
Sucre, **Turén**, **Papelón**
Páez, **Santa Rosalía**.
Guanarito confluía
con una razón profunda,
con su decisión rotunda
y juicio nos apalanca,
Monseñor, el **Agua Blanca**
José Vicente de Unda.

Se ha de componer lo roto
pues al **Ospino** miré,
con el **San Genare de**
Boconocito y su voto.
El **San Rafael de Onoto**
Araure mismas andadas,
con las condiciones dadas
Esteller acompañó,
Guanare, pues, los siguió
ya con sus rutas marcadas.

105

Sucre de tierra oriental
con **Andrés Mata** se apura,
Mejía misma soltura
el **Montes** y **Cajigal**.
Según se escucha en la dial
todo se encuentra a favor,
Valdez a todo vapor
Andrés Eloy Blanco a tope,
Benítez a buen galope
Mariño y **Libertador**.

Con muchos ya se ha contado
con otros se contaría,
y el futuro así tendría
el país que se ha soñado.
Arismendi se ha sumado
listo como un artillero,
Bolívar surgió primero
Bermúdez, **Cruz Salmerón**,
Acosta a disposición
igual que **Sucre** y **Ribero**.

Y tiene **La Guaira**, estado
el **Vargas** municipal,
dando su clara señal
de que se siente integrado.
Rompiendo con el pasado
nuestra bandera tremola,
su pueblo la inmensa ola
que nos baña de alegría,
por las dos patrias que un día
juntas serán una sola.

El **Táchira** como viera
ha dado un paso importante,
Torbes, **Sucre** y **Uribante**
Seberuco, **Lobatera**.
San Cristóbal acelera
su andar en la concurrencia,
apoya la convergencia
que surge de lado y lado,
con el **Samuel Maldonado**
Guásimos, **Independencia**.

A las calles se han volcado
Ayacucho y **Michelena**,
cada uno se encadena
como ya se ha revelado.
Jáuregui se ha pronunciado
Cárdenas, Fernández Feo,
para seguir el conteo
ya cada cual se reposta,
Antonio Rómulo Costa
Junín, **San Judas Tadeo**.

García de Hevia echa leña
al fuego por la verdad,
Libertador, **Libertad**
Pedro María Ureña.
La fogosidad se adueña
y no quiere dar más largas,
no más perfidias amargas
Simón Rodríguez alega,
y un **Andrés Bello** se apega
con **José María Vargas**.

Bolívar bien interpreta
toda esta exaltación,
su patente devoción
junto a los demás concreta.
En **Rafael Urdaneta**
hablando buen castellano,
no habrá juramento en vano
y en eso el estado anda,
con **Francisco de Miranda**
con el **Panamericano**.

Trujillo se desbordó
Carache, Monte Carmelo,
Pampanito con anhelo
Bolívar y **Boconó**.
Miranda se desplegó
Candelaria y **Motatán**,
con ellos se cruzarán
Sucre, Rafael Rangel,
les siguió **San Rafael**
de Carvajal y **Pampán**.

Escuque con **Juan Vicente
Campo Elías** y **Valera**,
y de la misma manera
el **Andrés Bello** presente.
El gran esfuerzo se siente
para conquistar la meta,
La Ceiba misma se reta
con **Trujillo** y con **José
Felipe Márquez** el que
se le ve con **Urdaneta**.

Unas calles encendidas
en **Yaracuy** emocionan,
en **Sucre** el himno entonan
y en **Arístides Bastidas**.
Todas las marchas fluidas
con mucha seguridad,
Bolívar con propiedad
Cocorote en convivencia,
**Veroes, Independencia
Peña, Nirgua, Trinidad**.

La fuerza yaracuyana
seguía con **José Antonio
Páez** como testimonio
de la marcha cotidiana.
Del ánimo nos emana
esta dureza moral,
San Felipe, la causal
con su pueblo ha defendido,
y **Manuel Monje** ha venido
con **Urachiche** y **Bruzual**.

El Zulia tiene abrigada
la ilusión que bien sujeta,
**La Cañada de Urdaneta
Jesús Enrique Lossada**.
Con la nota acelerada
y de gran reputación,
Miranda da igual razón
con todos se contará,
Rosario de Perijá
con **San Francisco** y **Colón**.

La buena fe nos ampara
bien remarcada en negrilla,
el **Almirante Padilla**
Simón Bolívar y **Mara**.
Lagunillas se prepara
para el camino tomar,
igual que un relampaguear
el **Catatumbo** se mira,
y avanza con la **Guajira**
Francisco Javier Pulgar.

Valmore Rodríguez cuenta
y por acá se verá,
Machiques de Perijá
con estos otros se ambienta.
Baralt su liza sustenta
de la materia en común,
el **Sucre** se espera aún
Cabinas se supedita,
Maracaibo, **Santa Rita**
Jesús María Semprún.

Al hombro y granito a grano
las dos imprimen la huella,
de la más grande epopeya
en el suelo americano.
Nada habrá de ser en vano
pues con el pueblo valiente,
que crece como un torrente
que nada lo detendría,
se tiene la garantía
de lograrlo nuevamente.

Las etnias se están uniendo
por Colombia y Venezuela,
en una acción paralela
que todas van promoviendo.
Cada una ya está viendo
que más división no habrá,
que la unión se mantendrá
yanomamis, **betoyé**,
ingas, **kubeos**, **pomé**
la etnia **tanimulcá**.

109

Con la danza mare mare
nombraron los **arawaco**,
barí, **sáliba**, los **maco**
etnia los **maquiritare**.
Indígenas **masicuare**
indígenas **emberá**,
invocando el «más allá»
alguno los nombraría:
los **inga**, los **jeprería**
los **bora** y los **achaguá**.

Los **añú** y los **piaroa**
yanacona, los **tariano**,
los **u'wa** y los **desano**
coconuco, **chiricoa**.
Makaguaje, **paneroa**
puinave, los **noanamá**,
piapoco, **chibcha**, **bará**
los **guanaca**, los **hotí**,
coreguaje, **matapí**
siona, **miraña**, **wiwá**.

Los **caribes**, los **koguí**
guayabero, **karijona**,
los **siriano**, los **tayrona**
indígenas **sikuaní**.
Los **tucano**, los **yurí**
senú, andoké, wanano,
yekuana y los **guaimbiano**
pisamira, mokaná,
tatuyo, juhup, yawá
los **cañamoto** y **taiwano**.

Paraujano, nataguaima
los **cocamas**, los **uruak**,
los **awa** y los **nukak**
kawiyarí, señú, chaima.
Kankuano y los **coyaima**
tribu los **karapaná**,
chaima y los **chimilá**
koré, **yucó** y **tikúna**,
totoró, dujo, makúna
los **guajibos, nunuyá**.

Seguido los **waikerí**
guajibó y los **yaúna**,
los **tsiripu**, los **yakúna**
letuama y **yurutí**.
Warekena, **matapí**
kemëntsa y los **korés**,
ocaima, **tulé**, **guanés**
pasto, **arhuaco**, **pemón**,
kurripaco, **motilón**
lituama, **kofán**, **sopés**.

En territorios remotos
los **siriano** y **eñepá**,
los **yukpas**, los **tuyucá**
los indígenas **huitotos**.
Ayamán, **cumanagotos**
los **boniwa** y **nengatú**,
piratapuyo, **hupdú**
hitnúcada y **kakúa**,
nasa y los **amarúa**
los **kuiba** y los **wayú**.

Los parques impresionantes
sin dudas, un paraíso,
fue que el Supremo lo quiso
asombrosos, deslumbrantes.
Son así tan delirantes
que despiertan sentimientos,
con placenteros momentos
Ciénagas del Catatumbo,
Salto Ángel con el rumbo
de la rosa de los vientos.

Sierra Nevada y **Gorgona**
la isla de **Salamanca**,
Waraira Repano arranca
una magia que apasiona.
El tobogán que emociona
y que en plena selva está,
Los Katíos, dos **Tamá**
Mochima, los **Estoraques**,
que adornan los almanaques
cual **sierra de Perijá**.

Tayrona: tribu perdida
y los **Médanos de Coro**,
parque El Encanto un tesoro
en la tiniebla tupida.
Caño Cristales es vida
tranquiliza y oxigena,
arrulla la calma plena
escuchándose en mil voces,
que es el río de los dioses
sierra de La Macarena.

Siguiendo el monitoreo
con esta suma veloz,
parque **Guácharos** hay dos
para soñar con Morfeo.
Tinigua sigue al conteo
un **Tatacoa** caliente,
Jirijirimo el fluyente
«la cama de la anaconda»,
el agua tranquila ronda
la Estrella Fluvial de oriente.

Parque **Utría** y su caudal
parque del **Monte Roraima**,
Parque Nacional Canaima
parque **El Gallineral**.
Chorro el Indio sin igual
de agradable caminata,
La Llovizna color plata
en diversión se convierte,
Parque San Felipe El Fuerte
la Sierra de la Culata.

El salto del Tequendama
laguna de la Restinga,
que ya nada nos distinga
se solicita y se aclama.
Cada vocero reclama
no volver la vista atrás,
que se promueva la paz
se divulgue, se comparta,
la sierra de Santa Marta
Páramo de Sumapaz.

Siguiendo la retahíla
bajo un signo paralelo,
islas Rosarios, **Malpelo**
Volcán Nevado de Huila.
Se busca, se recopila
se unen cual popurrí,
lo nunca visto lo vi
y «ver» aquí se conjuga,
por la isla **La Tortuga**
cerros de Mavacuví.

Un gigantesco tepuy
la sierra de la Neblina,
El Tuparro, tierra fina
linda **sierra del Cocuy**.
Las aguas de la **Musuy**
termales ayer y hoy,
quebrada de Jaspe voy
a bañarme en tu quebrada,
en **El Guache**, su cascada
Los Roques y **Morrocoy**.

Pisba en una cordillera
Chiribiquete, **Los Chorros**,
Los Picachos y los **Morros**
de Macaira, **La Chorrera**.
Parque Enrique Olaya Herrera
Henri Pittier, **bosque Trilla**,
y en lo blanco de una orilla
con sol o luna al brillar,
se puede bien apreciar
la isla de la Blanquilla.

Maravilloso lucía
un parque de gran quilate,
el **cerro de Monserrate**
santuario, policromía.
La promesa se cumplía
con la más firme creencia,
recreación en esencia
que del suburbio se aleja,
Delicias, **Moyas**, **La Vieja**
parque de la Independencia.

El **parque del Peregrino**
el **parque Matarredonda**,
la gente respira oronda
sin estrés capitalino.
**Jardín José Celestino
Mutis** o **de Bogotá**,
el verde conservará
La Paya cual albufera,
el parque **Alí Primera
Quebrada de Vicachá**.

Sitios nunca imaginados
con parques acogedores,
**Páramo de Miraflores
Santuario Los Colorados.
Las Galeras**, **Los Nevados**
cada una legendaria,
cada una milenaria
dando respiro y amparo,
Macuira, **Tapo Caparo
La Península de Paria**.

Las visitas más dichosas
de turistas en elencos,
el **santuario Los Flamencos
Puinawai**, **Las Hermosas**.
Y, si frecuentan las diosas
dígame quién no suspira,
quién además no se admira
Mariusa, **Río Puré**,
en **Aguaque**, **Puracé**
como en el **parque Dinira**.

Paramillo sigue así
como al **Yacambú** lo cito,
el **Aguaro**, **Guariquito
Turuépano**, **Yurubí**.
El parque Cahuinarí
el **parque Miranda** urbano,
con el **Munchique** caucano
Gustavo Knnop, **El Saroche**,
musa de día y de noche
Santos Luzardo en el llano.

El disfrute en cada escena
no hay viajero que no halle,
santuario Virgen del Valle
santuario Hostal Cartagena.
Yapacana que me llena
de júbilo pues se nota,
como un vuelo de gaviota
la paz suprema nos llama,
Jaua-Sarisariñama
santuario Isla Corota.

Las islas de **Los Corales**
del Rosario y San Bernardo,
de cada especie un millardo
manantiales y caudales.
Fuentes de los arenales
que reposan en la playa,
donde el júbilo se explaya
por todo aquel atrayente,
en el **Chingaza** se siente
y en el **parque Otún Quimbaya**.

En el **Urumba Bahía**
Málaga, zona costera,
su flora se distinguiera
y a todos encantaría.
Majestuoso se veía
con grandes acantilados,
y se miran elevados
sin duda **Los Farallones**
de Cali, cual los cañones,
de inmensas peñas formados.

Otro jardín nacional
nos revela un verde intenso,
está plasmado en un lienzo
incluyendo su ramal.
El **parque Guaramacal**
donde la ansiedad se aplaca,
el **Duida Marahuaca**
y la atracción de la cuenca,
que tiene el **Doña Menca**
de Leoni en el Biruaca.

Como un rápido titilo
de algún lejano lucero,
miré volar un garcero
bajo un entorno tranquilo.
Río viejo San Camilo
Barrancones en el Pao,
el **parque de Caricuao**
y vale el mismo piropo,
para **Sanquianga**, **Guatopo**
para **Tirgua** y **Macarao**.

Amacayacú, Ticuna
de soportable calor,
y aborigen cuidador
de su origen, de su cuna.
De su costumbre montuna
silvestre cual flor de lis,
un visitante feliz
recuerda que visitara,
la **sierra de Churuguara**
y la **sierra de San Luis**.

La Piedra del Peñol con
Parque Nacional El Caura,
nos deleitan con su aura
sitios de gran impresión.
En la misma posición
dos que parecen gemelos,
el **parque Los Churumbelos**
Auka Wasi con el agua,
que serpentea en **Alto Fragua**
Indi Wasi y otros suelos.

Entre Vaupés y Amazonas
el gran **parque Yaigojé,**
Apaporis en el que
flora y fauna son patronas.
Las dos buenas anfitrionas
de estos sitios tan sagrados,
han sido considerados
la razón de una creencia,
una robusta sentencia
de nuestros antepasados.

Entre Lara y Portuguesa
el **Terepaima** ancestral,
Bogotá, el **humedal
Córdoba** con su belleza.
Se valora la pureza
del aire por respirar,
caminando a otro lugar
palafitos divisé,
**La Ciénaga Grande de
Santa Marta** y su manglar.

La **Cueva de la Quebrada
del Toro**, con alusión,
a un embalse y la incursión
de un río y su ensenada.
Se dice que es visitada
por tantos excursionistas,
por cientos de ecologistas
talentosos que se prueban,
en el **parque San Esteban**
tras virtuosos naturistas.

Regido por el sistema
de ámbito nacional,
la reserva natural
el **Nukak** y su diadema.
Un enorme ecosistema
de mesetas abrazadas,
en otras tierras preciadas
algunos se sienten rey,
estando en **cerro El Copey**
de vertientes escarpadas.

**Parque Nacional Parima
Tapirapecó** creado,
para que esté preservado
el Orinoco y su estima.
El que se encuentra en la cima
de un sitio más que especial,
una importancia vital
donde todo se apacigua,
laguna de Tacarigua
con barrera litoral.

Artistas de cualquier lado
van y vienen sin parar,
la vista puesta en lograr
todo un folclor fusionado.
El ánimo está colmado
llegando la unión al fin,
y acabándose el confín
como se acabó la espera,
terminará la frontera
como el muro de Berlín.

Los pueblos han aportado
de una manera formal,
su **género musical**
formando un nuevo listado.
Buscando se han encontrado
siguiendo un igual formato,
servidas en mismo plato
entre teclas y cordaje,
joropo, **cumbia**, **pasaje**
porro, **gaita** y **vallenato**.

Palenque, **juana guerrero**
la **chalupa** el **galerón**,
parranda, **pasillo**, **son**
culepuyas, **sabanero**.
El **pajarillo llanero**
en las manos del arpista,
el maraquero y cuatrista
le siguen en su compás,
y la clave por demás
con su instrumento el bajista.

Alegres nos van haciendo
la vida por estos lares,
en los distintos lugares
que al fin vamos recorriendo.
De **juga** voy aprendiendo
guabina, **nuevo callao**,
catira, **seis numerao**
golpe larense, **gabán**,
zambapalo, **gavilán**
de **chipola** y **currulao**.

La **música cañonera**
hace alusión al pasado,
un joven enamorado
de su joven quinceañera.
Una **tonada llanera**
cantada con celo fino,
un **merengue** campesino
el **merengue rucaneao**,
bambuco, **seis figurao**
ritmo **orquídea** y **torbellino**.

Así, cada especialista
aportó por vez primera,
la **puya**, la **periquera**
alargando aquella lista.
Cantan a San Juan Bautista
bajo el **golpe de tambor**,
al igual un bailador
disfruta el **merecumbé**,
el **paseo**, el **chandé**
del más grandioso folclor.

Uno que otro conocido
como el **pango** y la **fulía**.
sanjuanero, **chirimía**
el **fandango**, **seis corrido**.
Cada uno bien sentido
garabatos, **malagueñas**,
el **son de negro**, **guaneñas**
chigualo, **quirpa**, **cancao**,
patacaré, **abozao**
la **champeta** y **rajaleñas**.

Cachicama, **jalaito**
lalao, el **cumbiambé**,
taconeado y **cachumbé**
teconté, el **sucreñito**.
Lumbalú, **caracolito**
el **son corrido** o **jalao**,
bonito **porro tapao**
rumba criolla, **chimbanchá**,
pata cumbia, **chiquichá**
zumba que zumba y **cumbiao**.

La relación vi crecer
y con ella por lo cual,
merecure y **carnava**l
llegado el atardecer.
Qué gusto me dio saber
de **valses**, **cunavichero**,
de **carimbó**, de **cumbero**
bullerengue, **tumbazón**,
de **maestranza** y **pregón**
diamante y **morrocoyero**.

El pueblo lo festejó
nuestro folclor reverdece,
punto oriental, **mece y mece**
alabao, **carimbó**.
El **pompo**, **tiguarandó**
guacharaca, **tamborera**,
un **calypso** de primera
carraca, **san rafael**,
seis por derecho y, con él
una **zamba callejera**.

Seguido vino el **cumbión**
y a los otros se sumó,
la **caña**, **sapo rondó**
guaraña, **polo**, **pregón**.
La **jota** tras la inclusión
con la bandera que agito,
makerule, **paseaito**
guasca, **parrandí**, **madruga**,
la **onda nueva**, la **fuga**
aguabajo y **tamborito**.

Instrumentos musicales
se unieron a la fusión:
el **cuatro**, el **acordeón**
los modernos y ancestrales.
Cuatro puntos cardinales
rodean mi romancero,
cumaco, **flauta**, **chapero**
samawa, **tura**, el **bombo**,
el **isimoi** con el **rombo**
wawai, **bandola**, **pandero**.

Toditos se van uniendo
cual madrugada y aurora,
bajo, **cununos**, **tambora**
para no quedar debiendo.
El **arpa** se sigue oyendo
de Bogotá a Caracas,
furro, **caja**, **guacharacas**
y se suman, además:
la **charrasca** y el chischás
del **guache** y de las **maracas**.

Contando con mis paisanos
igual se verán nombrados,
unos finos fabricados
y otros de los artesanos.
Tocados con finas manos
la **guarura**, **pandereta,**
carángano, **la cuereta**
bandolina o **bandolín**,
tiple, **requinto**, **violín**
la **raspa**, **puerca**, **curbeta**.

Con nueve voy terminando
otra décima termina,
tras el **carrizo** y la **mina**
siete no más van quedando.
Así termino nombrando
marimba, **tambor mayor**,
caramillo o **capador**
marímbola y una flauta,
bien llamada **kuisi** o **gaita**
guasá, **tambor llamador**.

Un vendaval de *canciones*
esto nos recordará,
La pollera colorá
que acelera corazones.
Un sambo se hace ilusiones
sin Soledad darle pie,
Manuel al perder la fe
dice la vieja leyenda,
que por ella en la molienda
sufre *Moliendo café*.

Muchas más les adelanto
Rico yo, *Mi niña hermosa*,
El congo no va a mi rosa
con *El profesor de canto*.
Aquí caigo y me levanto
Zoila Moreno, *Sirena*,
Amantes de luna llena
Las rosas del sentimiento,
Hasta cuándo tanto aumento
De sol a sol, *Alma en pena*.

Voy a buscar la palmera
Diosa de la serranía,
oyendo *La gota fría*
y la *Cumbia cienaguera*.
Oyendo *Si yo pudiera*
Un seis por la libertad,
El pavo real, *Ansiedad*
y otra nota nos describe,
la gran *Cumbia del Caribe*
Qué bonita y *Soledad*.

Ay mi llanura querida
dónde está *Mi colombiana*,
no la encuentro en la *Sabana*
y es mi *Vida consentida*.
Pero *La ley de la vida*
y *El guayabo de la Ye*,
hacen que *El pobre José*
se pierda en los cardonales,
cantando: *Los sabanales*
y *Dile que moriré*.

A mí *Me queda el consuelo*
de tenerte *Chocoanita*,
Jovencita Margarita
adiós a la *Ley del hielo*.
Tuya es mi vida, *Mi cielo*
La dama de la ciudad,
Hasta nunca soledad
mil gracias por *El regreso*,
tú, mi *Corazón travieso*
y *La flor de la amistad*.

122

Bajo el cielo azul del llano
Soy un pobre campesino,
Traigo polvo del camino
en las *Tardes de verano.*
Carola, Dame tu mano
se fue mi *Maracuchita,*
Deshojo la margarita
por saber mi porvenir,
cuánto no habré de sufrir
por la *Linda guajirita.*

Con *El Cantor de Fonseca*
Refugio del Uribante,
La carrumba, Anhelante
Amor de hierro y *Muñeca.*
Para cuidar tu toñeca
La casa en el aire hiciste,
y a tu Ada Luz le dijiste
que tan solo un aviador,
con una *Prueba de amor*
sería quien la conquiste.

Se me fue con el piloto
Fracasó mi matrimonio,
fue una cosa del demonio
como fue lo de *La foto.*
La traidora Coromoto
Brindando por mi derrota,
me vio con una carota
porque al final se vengó,
y a *Petronila* contó
Lo que pasó con Carlota.

Y cantan *Se va el caimán*
con cada verso candente,
Tolima grande tu gente
apuesta por este plan.
Soy tolimense y verán
cómo mi pueblo se anima,
viva mi *Viejo Tolima*
por él levanto mi voz,
grande *La gloria de Dios*
grande *El hombre de la cima.*

123

Baila *Juanita bonita*
canta mi *Alicia adorada*,
Con el alma enamorada
espero en *Mi parcelita*.
Por querer *Esa boquita*
va mi verso por *Endrina*,
me han dicho que *La vecina*
se está peleando con ella,
y *Como llora una estrella*
llora por mí *Josefina*.

Y mi *Cali pachanguero*
esta estrofa me inspiró,
Mi catira lo bailó
como baila *El cumbiambero*.
Silbando va un carretero
Caminito de Guarenas,
distinta de otras morenas
El adiós, Adiós María,
pero no se cortaría
por una ingrata sus venas.

El minero con su herida
La camisa negra carga,
una pena más que amarga
por la *Malagradecida*.
Como se quiere se olvida
y *Sin querer evitarlo*,
ha querido ya contarlo
Cerro Ávila lo calma,
con sus *Palabras del alma*
ella ha sabido curarlo.

Ya *Bésame morenita*
en esta *Espléndida noche*,
ya no me hagas más reproche
por esa *Mujer bonita*.
Sol llanero, Muchachita
es un *Llanto agradecido*,
igual que *El pájaro herido*
soportando este dolor,
siendo el *Ladrón de tu amor*
en *La tierra del olvido*.

Pasearla en *La bicicleta*
le prometió con *Detalles*,
pasearla *Por estas calles*
en franela y en chancleta.
El *Corazón de poeta*
yo sé que le gustará,
que no la defraudará
El rey pobre le ha jurado,
sabiendo ya demasiado
la mujer *No volverá*.

En las *Espumas* viajeras
se van todos los perjurios,
llevan los malos augurios
de las aves agoreras.
Comentan *Las pilanderas*
La múcura es de las dos,
una contenta y en pos
de la unión, pues la bendijo,
Yo me llamo cumbia, dijo
Cómo le pago a mi Dios.

La otra expresó: retribuyo
tu frase con mi escritura,
Nuestra tierra da lectura
de mi folclor y del tuyo.
Cada una con orgullo
lo demuestra conmovida,
siente cómo se valida
este gran pacto de alianza,
Camino de la esperanza
El camino de la vida.

La loca Luz Caraballo
persiguiendo cada ovejo,
sin contar con aparejo
ni con el hombre a caballo.
Con el sol despierta un gallo
a *La loca Margarita*,
la que a los godos les grita
la de los vestidos rojos,
la de chiquitos los ojos
y de cara arrugadita.

Pomponio, el bogotano
el más sociable cartero,
el más gentil caballero
partió de su pueblo urbano.
Al otro lado en el llano
pasando la zona andina,
El loco Juan Carabina
con paciencia lo esperó,
otro encuentro que anunció
lo bueno que se avecina.

El *Rumor de una cascada*
junto a *Cunaviche adentro*,
alumbraron el encuentro
igual que una *Llamarada*.
La reunión esperada
una vez hecho el llamado,
el *Poeta recordado*
llegó con *Amor profundo*,
con *El grito vagabundo*
Vagabundo enamorado.

Una musa se pasea
con el *Viejo tiplecito*,
Betuliana y *Amparito*
conversan con *Carmentea*.
El *Conticinio* recrea
como en una noche plena,
la vida es fresca y serena
en aquel *Pueblito viejo*,
Casita vieja el espejo
de pesares y *Honda pena*.

Recuerda *Sielva María*
no olvides *Nuestro secreto*,
un *Corazón de concreto*
nuestra pena no valdría.
Y quién no repetiría
desde *Allá en la montaña*,
mirar el mar que nos baña
escuchar sus musicales,
ver sus frutas tropicales
El corazón de La caña.

Oiga, *le voy a explicar*
el *Relicario de besos*,
se va y viene cual los pesos
como las olas de mar.
Una canción ejemplar
con *El negrito fullero*,
que viva el *Viejo soguero*
y la *Viajera del río*,
dónde estás *Gabán pionío*
Dame razón canoero.

Unos versos distintivos
con *Motivos, Pa valientes*,
Huellas de besos ardientes
dominantes, recesivos.
Yo vivo por tres motivos
El guayabo, *La yerbita*,
Santandereana bonita
Pelao, pero contento,
La embarazada del viento
Paz y yo, *Cumbiamberita*.

Con dos buenos verseadores
y cada estrofa exigente,
le fue rindiendo a Valiente
las cuentas y pormenores.
«¡Denme canciones señores!»
les dije en tono elevado,
entréguenlas de contado
miren que soy contador,
cada cual un vencedor
y ninguno derrotado.

Sus guitarras afinaron
aclararon su garganta,
para comenzar la canta
y enseguida comenzaron.
A Tumaco lo quemaron
comenzó la versación,
diez versos en discusión
con suma desenvoltura,
la provocación más dura
entre don Juan y Ramón.

A paso morrocoyero
No cambies, *Aquel momento*,
el *Polo del juramento*
Serenata en el tranquero.
Hoy por mí, *El campanero*
La feria de Manizales,
Los emblemas regionales
Muchacha de risa loca,
Por un beso de tu boca
Volverás, *Emma González*.

Amores de coleadera
El árbol de mis amores,
un *Verso a los coleadores*
Suéltala, *La forastera*.
Aguas mansas, *Si pudiera*
Llámame, *Dónde estarás*,
Mi amor, *Un poquito más*
Los remansos, *La mistela*,
Trigueña hermosa, *Mi abuela*
y *La cumbia de la paz*.

Diga como digo yo
Guayabo no mata gente,
y que viva este valiente
don Ramón le replicó.
El público lo aplaudió
atendiendo su consejo
y, tras el verso parejo
Un desprecio en la barranca,
un *Adiós casita blanca*
adiós al *Camino viejo*.

Si vas para el *Pueblo mío*
dijo el otro en su conseja,
verás la *Laguna vieja*
Pescador, lucero y río.
Si hay *Tinieblas* y hace frío
cuenta con *Pachito Eché*,
tendrás un *Ave pa ve*
Güepajé, *Chamo candela*,
y si te *Prende la vela*
Qué más quieres que te dé.

128

Y *Si pasas por San Gil*
dale saludos a *Juana,*
entrégale *La manzana*
a *Mi novia juvenil.*
Con la *Lunita de abril*
Memorias de un parrandero,
tras el *Clamor montañero*
y con *Mi amigo el camino,*
Caballo de paso fino
Mi caballo y mi sombrero.

Oh *Dulce Coyaima indiana*
solo *Tú eres la reina,*
la brisa suave te peina
De la noche a la mañana.
Tan reina *La soberana*
Cachipay, *Gaita playera*,
Cuando te vayas, *La estera*
Que toque Rufo otra vez,
La fritanguera y despúes
El buscapié, *Borrachera.*

Por tu amor vivo borracho
un *Holocausto de amor,*
Te extraño, *El ascensor*
y *Cuando estaba muchacho.*
La butifarra de Pacho
Ojo pelao, *Tu sueño,*
La plata no tiene dueño
Maracucha, *Mi chinita,*
Fruta fresca, *Canoíta*
el *Sentimiento apureño.*

Ojos Indios ha llegado
Un poquito de cariño,
Dímelo, *Duérmete niño*
El indio desventurado.
Baila Caribe ha contado
noticias *Ayer y hoy*,
Alma del Huila soy
Neivana, *Te quiero así,*
y *Estoy brindando por ti*
con *El amor que te doy*.

Sigo estando enamorado
Muchacha de ojazos negros,
déjame hacer los reintegros
de los besos que me has dado.
Es por *El beso robado*
que pronto me encerrarán,
unas me recordarán
como el *Barquisimetano*,
cual *Crepúsculo coreano*
y *El cumaco de San Juan*.

Colombia tierra querida
Un beso y una canción,
la *Sublime inspiración*
Tiplecito de mi vida.
Ritmo de Colombia anida
extracto de *Mi tambor*,
es que *Colombia es amor*
Copito de yerbabuena,
es *La flor de la cayena*
en su mejor esplendor.

Con la canción *Venezuela*
yo *Me voy a regalar*,
todas *Las brumas del mar*
y mi barquito de vela.
Un paisaje de *Acuarela*.
como este *Tesoro mío*,
Natalia cuánto te ansío
Cuando vuelan mis pesares,
por el *Río Manzanares*
y *Orinoco padre río*.

Dame un besito Manuela
¡viva *Mi Colombia* viva!,
viva la unión más festiva
¡y que *Viva Venezuela*!
De *Las chanzas de Mariela*
ya *Me voy enamorando*,
Con la frente en alto ando
La perola con *La paila*,
mi *Colombia canta y baila*
Venezuela habla cantando.

Decía **La guaireñita**
que en su corazón estuve,
cuento que **Yo también tuve**
veinte años, Dolorita.
Vente mi **Caraqueñita**
que **El morenito cantor**,
con **Olivo el pescador**
no esperaban **Mi regreso**,
Amigo ratón del queso
es mi **Consejo de amor**.

Yo tuve que recorrer
todo el **Apure en un viaje**,
buscando mi **Flor salvaje**
No voy a retroceder.
Es que **El joropo es mujer**
ya la encontré, mi paisano,
en **Un camino lejano**
yo cabalgo en mi cenizo,
Mi llano es un paraíso
Yo no me voy de mi llano.

Saben que **Soy parrandero**
me juego todo en un naipe,
Al canoero del Caipe
Chaparralito llanero.
Lamento del canoero
El que se va, que se vaya,
quisiera verla **Ah malaya**
Vestida de garza blanca,
cabalgando en **Mi potranca**
montando **La mula baya**.

Me gusta el **Seis guayanés**
La danza negra y **Tatiana**,
Cecilia la de Guayana
pero igual **La negra Inés**.
Por Elba sigo a la vez
y con la **Plena confianza**,
así con tal **Remembranza**
la **Charanga cucuteña**,
La mujer margariteña
Leyda, **Mar de mi esperanza**.

Louis, *María María*
No lloro por ser varón,
Mi paisanito Ramón
Nos vamos de cacería.
El menú, *Qué alegría*
Tatuaje, *La negra Juana*,
Herencias, *La palangana*
La tortuga, *Mi ovejita*,
Soy el llano, *Marianita*
y *Mi pequeña Mariana*.

Soy un *Puerto abandonado*
Carúpano tierra mía,
por culpa de *Elvia María*
que conmigo se ha peleado.
Vanesa se ha disgustado
hasta con *Berta Caldera*,
otras con *La cienaguera*
y es por este falconiano,
ya me iré como *El baquiano*
Por una paraguanera.

El consuelo que me queda
es que se acabó *La bronca*,
con *La caimana que ronca*
cualquier cantante se enreda.
Así, con la *Piel de seda*
ir de *Paseo a Macuto*,
Como si fuera un minuto
Cuchillo pa' tu garganta,
Lo criollo no se me aguanta
cantando *El caimán chucuto*.

Te adoraré, *Venceremos*
Amantes, *Bombo y maracas*,
Caracas siempre Caracas
Mañana nos casaremos.
Arpa, *Cantemos cantemos*
Ojeras, *El calamar*,
Sinfonía en el palmar
Elevación, *Mentirosa*,
Araguaney, *Caprichosa*
El cisne, *El limonar*.

Al sur, *En aquel café*
Yacimiento del amor,
Quién fue, *El enterrador*
No te vas, *Dime por qué.*
La sortija, *Pa' Mayté*
No merezco tu perdón,
La nena, *Sapo lipón*
Sonia, *Tan cerca y tan lejos,*
Duda, *Cuando estemos viejos*
No es amigo el corazón.

Mi casta, *La gustadera*
Qué importa, *Clase social,*
Sentimiento nacional
Qué linda, *Mi tamborera.*
No te vayas, *Tabaquera*
Guayabito campesino,
El manduco, *El barcino*
Vuélvete, *El cafetero,*
Señor, *Galerón llanero*
Mayoral, *Amor marino.*

Va cargando a sus espaldas
los hidalgos de su **Raza**,
con la mirada que abraza
un follaje de esmeraldas.
Por los caminos de Caldas
caserío a caserío,
como el monte y el bohío
mis dos pueblos por iguales,
se ven como **Los guaduales**
entrelazados al río.

Que viva cada caldense
mi Caldas punto y aparte,
hoy he venido a cantarte
con mi **Guitarra larense**.
Traigo el **Bundé tolimense**
La batea y **Agua mansa**,
La mujer que no se cansa
me dejó por su altivez,
Me preocupa mi vejez
Muchachos, **Piel de esperanza**.

Quién como yo, si pudiera
Niñita de ojos azules,
buscaría en los baúles
la juventud que perdiera.
Lo sabes *Barranquillera*
ya te lo he dicho, *Orfelina,*
La tucusita, Divina
de mi lírica la oda,
Rosario de besos, toda
una *Media luna andina.*

La cumbia sanjacintera.
El baile de la botella,
Lo tienes todo, Por ella
Tres danzas, Si te mintiera.
Incompatible, Qué diera
Cuando me hayas perdido,
No cambias, El preferido
Yo me voy, Maravillosa,
Si no es así, Goza goza
y el *Corazón prohibido.*

Es que *Estoy enamorado*
Viejo amigo cantador,
En el nombre del amor
pues ando despreocupado.
La destreza me ha quedado
pericia con valentía,
le dije a la *Nena mía*
bien te pagaré con creces,
firme: *Niégame tres veces*
si te atreves algún día.

Quién no necesita amor
le respondió su rival,
Amor viejo y paso real
Dignidad, Todo un señor.
Yaguasos de Salvador
Vino tinto, Se va Billo,
Reflejos, El picadillo
La negra de Candelario,
Ando sufriendo un calvario
Gavilán con pajarillo.

De conquista por Vichada
va *Llorando por amor*,
Tristeza de un coleador
pues *Soñar no cuesta nada*.
Con una *Corazonada*
El campeón solo pedía:
La tórtola, *Agonía*
Nuestra casita de palma,
A un cariño del alma
Marabino y *Alma mía*.

Con una aflicción marcada
una nota improvisó:
mi Carmen *Se me perdió*
la cadenita sagrada.
Su mente estuvo nublada
con la noticia inaudita,
cuenta que a su Carmencita
pasado un año nervioso,
le expresó más jubiloso
Encontré la cadenita.

A mí me agarró sufriendo
esta *Historia de un buen día*,
junto a la *Guitarra mía*
por otra estaba muriendo.
Collar de lágrimas siendo
el lazo que fuerte amarra,
Mi tristeza con la barra
me vi cual *Cero a la izquierda*,
encontrando en cada cuerda
Respuesta de mi guitarra.

Testigo fue *EL Cafetal*
de ser *Novios callaitos*,
vivimos *Arrunchaditos*
pero en *Mi pueblo natal*.
Mi *Lucero espiritual*
y mi *Tierra falconiana*,
Guabina santandereana
y juro *Compadre Pancho*,
por ella *Yo tumbo el rancho*
Por una flor colombiana.

Muñequita ibaguereña
es *El día más bonito,*
eres mi *Anhelo infinito*
como fue la *Zaraceña.*
Linda mujer antioqueña
La carta todo lo explica,
saben que en mi *Patria chica*
con los demás yo me alisto,
El llano le canta a Cristo
El turpial y *La perica*.

Manuelito Barrios dijo
sin llevarme la contraria,
que la *Carta necesaria*
sin dudas era un cobijo.
La suerte es un acertijo
no encuentro *La medallita*,
se fue *Mi negra bonita*
La negra cocoa coa,
Me robaron mi canoa
y *Se murió mi burrita.*

Llanero cuero curtío
Cámbulos y gualandayes,
mi *Corazón*, no desmayes
Al otro lado del río.
La reina del caserío
Algo sobrenatural,
Muchachita de Bruzual
si *La canoa* no encuentro,
te buscaré monte adentro
y *Por el camino real*.

Triste *María Tolete*
viste cómo *Me han salado*,
El gallo tuerto han robado
El garrote y el machete.
Cargaron *El ramillete*
de mi *Corazón viajero,*
igual *Mi cuatro gaitero*
Mi cochina y *El bozal*,
Ya no seré caporal
Me robaron el sombrero.

Se salvó **La guacharaca**
por poco me la mataron,
y los bribones gritaron
Me voy robando una vaca.
La morrocoya y la hamaca
La hamaca grande guardada,
mi mujer **Atormentada**
escuchó desde temprano,
Me fui robando un marrano
junto a la **Vaca robada**.

Mi canoa no aparece
La perra mocha no hallo,
Me robaron mi caballo
Caramba, qué les parece.
Tristeza y dolor padece
mi mujercita, **Mi chula**,
pero además se calcula
Los quesos del becerrero,
Mi campechana de cuero
Me bajaron de la mula.

La novia del carranguero
no más por su **Vanidad,**
me ha corrido sin piedad
por el brujo **Curandero**.
La negra que yo más quiero
En sus **Faenas llaneras**,
de las buenas a primeras
Como le gusta a mi gente,
me nombró rápidamente
Caporal de Las Palmeras.

Las malas lenguas dijeron
que **El hijo de la llanura**,
fue tratado **A mano dura**
y muchas se lo creyeron.
Más adelante lo oyeron
cantando **Antioqueñita**,
Por los celos de Rosita
rompiendo con las intrigas,
Tonada de las espigas
Caricare, Soisolita.

137

El secuestro del cochino
Juan Hilario y el silbón,
han llamado la atención
con *El llanero adivino,*
A lo largo del camino
pasados ya varios soles,
echando los caracoles
hallamos por *Los maizales*,
toditos mis animales
y completos *Mis peroles.*

Como el *Drama provinciano*
el desamor fue creciendo,
ahora *Vivo muriendo*
que nadie meta *La mano.*
Lo que dibujo del llano
se encuentra *En este país*,
cantándote *Tarde gris*
te confieso ante los santos,
que muero *Por tus encantos*
sabes que *Te haré feliz*.

Ya seguirán las sorpresas
en el amor no me entrampo,
la *Serenata del campo*
en las *Tardes guayanesas*.
Llevaré *Mis dos princesas*
por toda la *Carretera*,
Ciudad Bolívar me espera
Guayana es oro ardiente,
para decir en oriente
yo *Ya tengo quien me quiera*.

Que ven *Mi felicidad*
sin ninguna *Ausencia cruel*,
van diciendo que soy *El*
muñeco de la ciudad.
Mensaje de Navidad
Me sonaron la campana,
la *Nostalgia colombiana*
Penas y melancolía,
Cantemos con alegría
Magallanes y Susana.

De rosas unos manojos
para la **Mujer soñada**,
Quinta Anauco es la mirada
Me lo dijeron tus ojos.
Pícara de labios rojos
Por qué me tratas así,
Por qué ya no estás aquí
Me perdiste por cobarde,
y **Mientras muere la tarde**
Me estoy muriendo sin ti.

Dos cantantes con talante
en un lugar cielo abierto,
ofrecieron un concierto
por demás significante.
Aquella noche pujante
glamurosa y encantada,
fue una nota inesperada
cargada de gran dulzor,
con **Nuestra historia de amor**
Niégalo y **Enamorada**.

En un joropo sentí
A Colombia y Venezuela,
y es que en las dos se revela
todo lo bueno de aquí.
Hoy vivo como viví
la letra en cada canción,
Tú me haces falta y el son
con el afecto que encierra,
Campesino de mi tierra
y **Regresa corazón**.

Amigo, **Choque la mano**
Colombianísimo vengo,
Desesperanza no tengo
Canción del venezolano.
Lamento bolivariano
Espérame en el tranquero,
Morichalito llanero
A quién, **Cumbia sideral**,
La dama y el morichal
Pajarito arichunero.

El *Pájaro diostedé*
Cristofué de la llanura,
canta mi pena más dura
por *El amor que soñé*.
Cristina Isabel se fue
llevándose *La piragua*,
en playas de Chimichagua
bien la pudiera encontrar,
o bien la pudiera hallar
en Santa Rosa de Agua.

Es que *El amor es así*
Te pintaron pajaritos,
y yo por *Los caujaritos*
tan solo *Pensando en ti*.
No digas que te perdí
sabiendo cuánto me abrumo,
y si es mi culpa lo asumo
sabes a qué me refiero,
que yo *El sancocho* prefiero
con *Mi negra hedionda a humo*.

El grillo, Botaloneao
Loco y *El tanque de guerra*,
Pajarillo de mi tierra
Mi gente, El enlosao,
El dueño y el encargao
Por pura curiosidad,
con *La purita verdad*
con aquel *El man legal*,
El agua del manantial
Por un lazo de amistad.

Imborrable, *Toy contento*
lo sabes *Malvada mía*,
Adicto a ti cruzaría
El puente del juramento.
Cómo expresar lo que siento
Estás hecha para mí,
siendo *Tu dueño* escribí
con *Orgullo vallenato*,
Por ti, *Rompí el retrato*
y la *Canción para ti*.

Tempestad en el palmar
Cuando salgo, *Mi Teresa*,
A usted, *Mi mayor riqueza*
No me vuelvas a buscar.
Cada cosa en su lugar
Solo en la vida, *La perla*,
Por amor, *Muero por verla*
La quiero más, *Alma herida*,
Soy tuyo, *Goza la vida*
y *Solo pienso en tenerla*.

Selva del tiempo he bailado
Era nuclear explosión,
tengo el *Amor cimarrón*
tengo *El invierno pasado*.
Un buen regalo le he dado
a mi novia *Carolina*,
una *Noche novembrina*
el *Rico merecumbé*,
que buen momento pasé
Con mi novia en la piscina.

El mejor hijo del Meta
del *Llano libertador*,
además de cantador
es un letrista poeta.
Trajo su agenda repleta
de la llanura su encanto,
su obra ya la decanto
con una *Oración llanera*,
qué bueno que nos trajera
Llanura, caballo y canto.

Velas, *Suenan los tambores*
Bombón, *Amor en el fango*,
igual *Bajo el palo e mango*
Me cantan los ruiseñores.
La reina de mis amores
Génesis, *Déjame ir*,
Quiero verte sonreír
Tremenda, *El vendedor*,
ya *No me niegues tu amor*
Sin ti no puedo vivir.

Toda la *gastronomía*
de eminentes creadores,
va brindando los sabores
que nos deleitan el día.
¿A quién no le gustaría
un **café** por la mañana,
una **arepita** temprana
con un **queso tolimense**,
con **molido nariñense**
una **mandoca zuliana**?

El cafecito primero
nos hace la invitación,
con un sabroso marrón
el con leche y el cerrero.
Marrón claro y el tetero
marrón oscuro y cortado,
guayoyo, el bautizado
el guarapo o guarapito,
el carajillo y negrito
el buen tinto y el pintado.

La **sopa de patacón**
un corte **sobrebarriga**,
cual las ansias que mitiga
el **mondongo** y **pabellón**.
Cafunga, **bollo pelón**
o un **arroz atollado**,
chivo en coco, **pavo asado**
un **ajiaco** ni lo piense,
patarasca amazonense
y el **sancocho de pescado**.

De la región insular
una **sopa de cangrejo**,
caldo de chucha y **conejo
al romero** he de probar.
Trifásico a degustar
un **sancochito de res**,
**picadillo barinés
polvorones**, **solteritas**,
salpicón, **mojarras fritas**
un **pelao guayanés**.

Patacones y **mollejas**
el **lau lau**, **mote de queso**,
chivo en yuca y su aderezo
sopa de pollo y **arvejas**.
Los **frijoles**, las **lentejas**
carantanta, buen sazón,
y ya tendré la ocasión
de comer el **ajicero**,
de saborear el **puchero**
y **empanadas de cazón**.

Queso de año y **antioqueño**
jalea de mango verde,
a Santa Fe que recuerde
ajiaco santafereño.
Y por ser buen caribeño
de la cocina soy ducho,
conozco el **pastel de chucho**
el **pastel de morrocoy**,
el **mañoco**, **jojojoy**
pastelito maracucho.

Sancocho de guaraguara
el **mute santandereano**,
el **talkarí falconiano**
con el **suero de tapara**.
Pan de jamón, carne en vara
una **hallaca** decembrina,
el **hervido de gallina**
el **caldo de huevo** o **changua**,
cuajada, tamal de piangua
palo a pique y **trucha andina**.

La **mazamorra chiquita**
la **sopa de ostras** quisiera,
la **posta cartagenera**
bandeja paisa exquisita.
La **funga** y la **hallaquita**
mírese como se mire,
coporo pa que suspire
la **pizca andina** famosa,
la torta de pan sabrosa
y un **pisillo de chigüire**.

Un **majarete empolvado**
el **manjar blanco** y **natillas**,
la **naiboa**, las **rosquillas**
la **catalina** y **golfeado**.
Maracuyá esponjado
famoso **dulce caleño**,
un **dulcito merideño**
la **breva, aguapanela**,
huevos chimbos, papayuela
un **bocadillo veleño**.

Quién además no querría
cuchuco con espinazo,
darse un fuerte **canelazo**
una **lulada** o **sangría**.
Diga quién no desearía
tener un tiempito grato,
con **chocolate** o **carato**
chicha andina, borojó,
rica fruta del Chocó
un **miche** y algún **masato**.

El **dulcito de lechosa**
chicha de arracacha evoco,
más los **besitos de coco**
marquesa, torta melosa.
La **galleta polvorosa**
dulce de melocotón,
mielmesabe, merengón
un rico **plátano horneado**,
la cuajada con melado
cortados de papelón.

Cada dulce por región
en estas tierras morochas,
almojábanas, panochas
tonchaleros, sabajón.
El **dulce de marañón**
los **bolis** y el **buñuelo**,
un buen **flan de caramelo**
marialuisa, el **ponqué**,
la **crema** y **flan de café**
chancaca y el **bizcochuelo**.

Tucupí, pirarucú
la carne asada al carbón,
el arroz con camarón
el sancocho de guandú.
La crema de copoazú
un pescadito muquiao,
el arroz apastelao
el tamal santandereano,
guacuco, selse coreano
sapoara y el pan warao.

Trucha con papas chorreadas
entreverao llanero,
peto, pabellón veguero
friche, iguanas guisadas.
Unas cachamas ahumadas
arroz bochinche y clavado,
el bocachico guisado
las truchas con patacón,
el fish ball con el rondón
y la viuda de pescado.

El escabeche costeño
capón de auyama, cholado,
pan de arroz, cazón guisado
con el sancocho antioqueño.
El pisillo guariqueño
chorizo carupanero,
el picadillo llanero
sancocho pato pelón,
la torta de chicharrón
el guisado de carnero.

El funche, busco salado
el queso paisa y cachapa,
un rico guiso de lapa
con el sancocho cruzado.
Además, lomo prensado
la remolacha rellena,
arroz con coco y avena
asopado de jurel,
cayeye, pollo a la miel
pasticho de berenjena.

Los buñuelos con natilla
queso guayanés, tequeños,
los frijoles antioqueños
queso de cabra y tortilla.
Las chatas, la quesadilla
los tamales de bijao,
la chicha de pijiguao
croquetas de macabí,
el tripazo de maní
chanfaina, pollo al cacao.

Los dulces abrillantados
el tacacho de cecina,
los pescuezos de gallina
los juanes de yuca asados.
Sancochos, granos guisados
Una carne resasada,
cuy, sopa de cebada
pargo y caspiruleta,
morcilla oriental, olleta
salmorejo, frijolada.

El cocido boyacense
marranitas, mango biche,
el gusano de moriche
fufú, el frijol caldense.
Rosquetes, mute larense
mojito en coco zuliano,
el mojito trujillano
bollo de plátano y coco,
tacaco, sancocho loco
queso costeño y de mano.

Pastel de cerdo, cabrito
una ternera llanera,
chipichipi, fosforera
con el caldo de curito.
Fiambres, el barbudo frito
empanadas de salmón,
el papelón con limón
albóndiga victoriana,
carimañolas, bishana
sopa de arroz y salón.

El **pisillo de pescado**
la **lechona tolimense,**
pata de grillo larense
pandebono, enyucado.
Envueltos, lebranche asado
queso crineja y **telita,**
el **guayanés,** el **palmita**
cuy con papas, asadura,
el **amargo de angostura**
yuca sancochada y **frita.**

La **tostada caroreña**
el **arroz con longaniza,**
cuajao, huevos de lisa
casabe, falda nirgueña.
El **guarruz, sopa costeña**
empanadas de pipián
palmiche, sopa de pan
sirope, dulce de piña,
asado negro, fariña
panelitas de San Juan.

Con receta o sin receta
cada plato cual ninguno,
bueno el **sancocho valluno**
galápago, palometa.
El **pincho, chuzo** o **brocheta**
de **pollo** o **carne** cualquiera,
gumarra, changua cerrera
chacra, mojito aragüeño,
pabellón margariteño
la **cazuela marinera.**

Al pan, pan, y al vino, vino
quiero una **arepa pelá,**
el **queso de Caquetá**
doble crema y **campesino.**
La **rodilla de cochino**
queso paipa, el **quesillo,**
chatas y **guaje amarillo**
con el **pisillo de baba,**
la **jalea de guayaba**
flamenquines, casajillo.

Pastel de cerdo sucrense
algún **casero yogur,**
hallaquitas de cambur
con el **tamal tolimense.**
Mute de chivo larense
la **marivara** y **oruga,**
ensalada de lechuga
ensalada de repollo,
insulsos, arroz con pollo
y los **pinchos de tortuga.**

Ají de leche en Trujillo
la buena **sopa de envueltos,**
perico, huevos revueltos
llamado igual **revoltillo.**
Tapacura, caratillo
el **ron** con el **calentado,**
un **pescadito moqueado**
el buen **dulce de batata,**
la **gelatina de pata**
llamada también **aliado.**

Quiñapira, mamonada
le siguen al apareo,
tungos, mote de guineo
tortillas con carne oreada.
Una **gallina enterrada**
y cierran en este bloque:
los **besos de albaricoque**
los **huevos de codorniz,**
una **crema de maíz**
carabinas y **alfondoque.**

Todos *los juegos* de infancia
de casa y los colegiales,
unas **sillas musicales**
a muy cortica distancia.
El yoyo es elegancia
con **el gato y el ratón,**
la lleva y **la ere** son
lo mismo como se admite:
escondido y **escondite**
la cuchara y el limón.

Salta **la cuerda** la niña
la golosa es **el pisé**,
el tejo, o **turmequé**
el corazón de la piña.
Un jugador escudriña
para encontrarlo primero,
palito mantequillero
con tibio, caliente o frío,
el triqui, **el gurrufío**
el cero contra pulsero.

Si **la zaranda** se quita
el trompo no la golpea,
y dicen: «Allá fumea»
jugando **la candelita**.
El yas, **el aro**, **chapita**
y haciendo cada pirueta,
cada jugador se reta
a **la olla** van jugando,
un **papagayo** volando
siendo la misma **cometa**.

Existen varias versiones
de cual nombre fue primero:
la **perinola** o **balero**
para hembras o varones.
Policías y ladrones
la persecución candente,
la carretilla ocurrente
que pase el rey otra vez,
un, dos, tres, pollito inglés
catapis, **papa caliente**.

En esta dura refriega
no puede «pedir cacao»,
y por tanto **el fusilao**
ya resignado se entrega.
Tonga, **gallinita ciega**
el yermis, **el congelado**,
la rana, **rejo quemado**
el stop: saber con letras,
las canicas son **las metras**
el loco paralizado.

No siendo tan diferentes
el pueblo los reconoce,
con el **cuatro, ocho y doce**
ponchados, manos calientes.
Parecieran resistentes
y se arrancan de cogollo,
la cebolla, cual repollo
soga, carrera de sacos,
y van cayendo los tacos
los pines del **bolo criollo**.

Como el beisbol se ha de ver
la pelotica de goma,
y un grupo haciendo maroma
no deja al **fuchi** caer.
Gratos días de un ayer
que la memoria despeja,
cinco huecos, mamá vieja
siendo que **las bolas criollas**,
son de las bochas macollas
con las cuales se coteja.

Volviendo a cada canción
Recordando mi lugar,
bonito *Con vista al mar*
Hasta cuándo corazón.
Me hallaron sin discusión
con las manos en la masa,
y es por *Catalina Daza*
que ahora *Estoy enguayabado*,
Me bebí lo del mercado
Me botaron de la casa.

Estoy botado del rancho
se formó *La sampablera*,
Mi novia la berraquera
anoche me vio de gancho.
Serán *Las notas de Juancho*
mi querida *Petra Juana*,
las que le digan mañana
que sigo siendo el cantor,
El canto del ruiseñor
El cantor de la sabana.

Qué vivan los cantadores
siempre, *Aunque truene o llueva,*
Sirena de amor y *Eva*
con *Sueños y soñadores*.
Dos pueblos y mil cultores
de un folclor entrelazao,
soy *El peón enamorao*
que dirige esta campaña,
con *Nina*, *Moliendo caña*
y el *Cariaquito morao*.

Terminó nuestro amorío
Por caprichos del destino,
Esencia, El remolino
Terrenal, Amigo mío.
Puro joropo, Corrío
Camino largo, Soraya,
La guata, María Laya,
No sé qué tiene el amor
Mi tristeza y mi dolor
con la *Parada en la raya*.

Corazón de contrabando
Qué te pasa corazón,
Andino, Sin condición
Dos campesinos verseando.
Me invitaron a un parrando
El coleador forastero,
Mucho llano pa' un llanero
La camisa conuquera,
Cuando este llanero muera
Cuando falte este coplero.

Carmen de Bolívar canto
otras de *La tierra* llana,
Muchacha flor de sabana
Joven, *Por quererte tanto*.
Yo sé bien que *No soy santo*
y estando *Locos de amor,*
tendrás todo a tu favor
un bonito y *Dulce hogar,*
un buen *Esposo ejemplar*
y *De ñapa coleador*.

Fue una **Amarga decepción**
La candela viva ha sido,
De que la olvido, la olvido
una **Amiga de ocasión**.
Así sin **Contemplación**
fue un **Amor disimulado**,
Corazón martirizado
no aguantará más reveses,
Te voy a olvidar dos veces
ya **Lo pasado es pasado**.

Mujer pásame el chimó
mujer **Plánchame la ropa**,
Vuélveme a llenar la copa
que el trago se terminó.
No hay un **Negro como yo**
bien considerado he sido,
Carmenza por qué te has ido
Yo sé que vas a volver,
nuestro amor va a florecer
como el **Llano florecido**.

Sé que **Te veré llorar**
sé que **Vivirás llorando**,
al no saber hasta cuando
pudiera yo regresar.
Recuérdame al escuchar
aquel **Canto de pilón**,
junto **Amigo el corazón**
La charanga campesina,
la **Nostalgia decembrina**
Pasiones, **La rebelión**.

Yo **No te quiero perder**
Adiós guayabo y no crea,
No mata, pero aporrea
creo **Voy a enloquecer**.
Por si no te vuelvo a ver
por andar **Pasillaneando**,
Rabia, **Seguiré penando**
Pesadilla entre las flores,
Corazón no te enamores
Llanerita y **Sabaneando**.

El *Sueño de cantador*
y *Sin saber que me espera,*
Oh mulata, Traicionera
Yo sin ti, *Odio y amor.*
Majunche, *El ruiseñor*
Caminito florecido,
Corazón estás herido
Corazón de media noche,
Los garceros, El fantoche
y *Dime cómo te olvido.*

Si está *Ciega, sordomuda*
Hay amores, algo pasa,
y si hay *Moscas en la casa*
es por ciega y testaruda.
Ni *Con el alma desnuda*
podrás convencer a *Diana,*
hay *Tristeza en la sabana*
porque en fin, *Te equivocaste,*
al final no valoraste
a tu *Reina soberana.*

La heroína del folclor
Ánima de Rompellano,
El caballo colombiano
Somos, *Volvió el dolor.*
Se terminó nuestro amor
Qué harás tú sola, *Rosita,*
me dijo *Misia Juanita*
Vete al diablo y a la calle,
gracias *Oh*, *Virgen del Valle*
se quedó *Sola solita.*

Ella no me dio mal trato
aun, cuando *Se acabó,*
así sus manos lavó
igual que Poncio Pilato.
Tal vez un *Segundo plato*
Yo no perdono traición,
pero *El Guayabo llorón*
por mucho que la conforte,
El amor es un deporte
dice *Mi generación*.

153

La potra que me tumbó
La potra zaina sin freno,
me dijo en Paratebueno
Bonito que te quedó.
Mi compadre se cayó
se cayó, *Sí, camarita*,
junto a mi *Provincianita*
y con *Mi sombrero negro*,
a la lucha yo me integro
lo sabes *Mi potranquita*.

Aquel hombre conocido
me confesó: "*Yo tenía,*
mi cafetal" pero un día
me llevaron detenido.
Mala hierba que ha traído
el error que pagará,
ya no se levantará
culpando al gordo trajeado,
sin dinero se ha quedado
y con *La pata pelá*.

Ya no eres mi bombón
Hasta aquí nos trajo el río,
Eres tú, *Cálido y frío*
Se arrienda este corazón.
Confiésame La traición
Te olvidaré poco a poco,
Río Sinú, Orinoco
No me corra cantinero,
Por amor, Amor sincero
y *Ni que estuviera loco*.

Diálogo, *Paraguaná*
Guabina chiquinquireña,
Mañanita caraqueña
Mi querida Bogotá.
La nigua, Dónde andará
Las trovas del animal,
Como ganao en corral
Bailemos, pero criollito,
Ay, sí, sí, *El tucusito*
El patrón y el caporal.

Puro deseo de amar
Como siempre, *Sin contrato*,
El caracolí qué grato
un rincón para soñar.
Cree, *No voy a llorar*
Hoy murió quien te quería,
Libérame le diría
Debemos hablar más claro,
Soy el propio Cantaclaro
Mi plan, *Arturo García.*

Mis rosas y por centenas
Rubia sol morena luna,
tengo a las dos y a ninguna
llevo *Fuego entre mis venas*.
Sol y luna con mis penas
Lo que dejamos atrás,
y *Ya no me duele más*
entré de nuevo en mi riel,
y el *Lenguaje de mi piel*
quizás interpretarás.

Se marchó *La aventurera*
me dejó el *Mal de amor,*
La diosa y el pecador
buscan a *La trapichera*.
Salvaje, *La enredadera*
En el día de tu santo,
lo voy soportando en cuanto
ella mi entusiasmo mengua,
El gavilán trabalengua
Payaso, *La ley del canto.*

Mediodía en el llano
momento de mi plegaria,
con *La viuda millonaria*
con el *Quítame la mano*.
Su firma *Amigo y hermano*
necesaria en este caso,
es para hacer el traspaso
del hato *La ricachona*,
del molino, la casona
de los caballos de paso.

Como no voy a decirlo
tengo **Todo de cabeza**,
sin pensar en su riqueza
como pienso debatirlo.
No es fácil de conseguirlo
su hija me cree una hiedra,
todo esto se desmedra
me dijo con desagrado,
si estás libre de pecado
Tira la primera piedra.

Pasé **De millón a cero**
tal vez mi peor desarme,
todo tendré que ganarme
ella **Sabe que la quiero**.
La herencia del canoero
con su hija, duros huesos,
Me pagaron con los quesos
con un **Mundo de ilusiones**,
y por todos los millones
me ofrece **Un millón de besos**.

Como un rey ya me veía
movilizando los peones,
en la torre y sus balcones
con una caballería.
Jugué con su amor un día
perdí en **Un dos por tres**,
Al derecho y al revés
ha sido un gran disparate,
cantándome un **Jaque mate**
La dama del ajedrez.

Siendo mi **Amor favorito**
me dejó como ninguna,
se quedó con **La fortuna**
igual con **El chevrolito**.
Me dejó limpio y solito
una **Cruel desilusión**,
Tristeza de botalón
Dulce y amarga la siento,
con este **Padecimiento**
Sin alma y sin corazón.

Novisaje de un llanero
que lo pensó *Facilito,*
se va *Rumbo a Corralito*
El típico sabanero.
Como perrito faldero
y como *La sanguijuela,*
No es caballo pa mi espuela
dijo la doña al final,
dejándole en el corral
El toro cacho candela.

Cántenme *El llanto de un rey*
como canta *El castillazo*,
Un año que no te abrazo
no más por su dura ley.
Aquí voy *Rumbo al jaguey*
Castigo de mi destino,
mi *Arroyito campesino*
Los arrieros van andando,
Río que pasas llorando
La muerte de don Gabino.

Es que *Me gusta su andar*
el viajero nos contaba,
diciendo la recordaba
llevando sol frente al mar.
Entre la *Luna y palmar*
su gran *Agradecimiento*,
aquel *Enamoramiento*
por esta linda viajera,
la esbelta *Cartagenera*
que bailaba *Barlovento*.

Si te marchas, *Dina Luz*
serás un *Viento viajero*,
Si tú te vas, yo *Me muero*
Eres mi Dios y mi cruz.
Te irás *Viajando en el bus*
siendo mi *Amor sin medida*,
juro *Te daré mi vida*
que yo *Por amarte tanto*,
no me imagino el quebranto
la *Angustia*, la *Despedida*.

157

Amores vienen y van
digo al final, **Resumiendo,**
Lo que más me está doliendo
es que por mí llorarán.
Celosas muchas están
por **La negra colombiana**,
mi **Novia venezolana**
ya **Busquemos la manera,**
La catira bochinchera
y la **Hermosa valenciana**.

Te mandé, **Una canción**
que te enamore, mi amada,
Una fan enamorada
el **Amor del corazón.**
El pobre, Tu bendición,
Todo terminó así,
Alíviame, Es por ti
recuerda **María Almanza**,
solo **Dame una esperanza**
y **No te olvides de mí**.

Mi regreso a Santa Ana
he venido meditando,
por una que va afirmando
Soy Colombia, **Colombiana.**
Y **Yo soy venezolana**
a la otra se escuchó,
Dos amores que me dio
la vida y **Soy pecador**,
Con la suerte a mi favor
ellas **Mi caballo y yo**.

Las **leyendas** y los **mitos**
por trochas, sendas, barrancas,
Las cinco águilas blancas
fantasmas, cantos y ritos.
Quejidos, llantos y gritos
de entera fascinación,
la pura imaginación
que se viene cultivando,
así se van preservando
Juan machete y **El silbón**.

158

En la montaña o llanura
son espíritus errantes,
espantando caminantes
que cruzan la noche oscura.
Desventaja, desventura
en todas partes están,
nada de tregua nos dan
surrealismo, fantasía,
¡sorpresa! *La diosa Chía*
¡súbito! *El hombre caimán*.

La tunda terror derrama
como *El hachador perdido,*
sortilegio parecido
a *Las brujas de Burgama*.
De fábulas una gama
cual la espantosa *Muelona,*
la misteriosa *Sayona*
La patasola el espanto,
El ánima sola encanto
Madre vieja, La llorona.

El duende, *El Sombrerón*
Ánima del taguapire,
para que bajo respire
cuando llegue la ocasión.
Bolefuego un llamarón
grande como un mastodonte,
para que nadie lo afronte
El Mohán canta sentado,
lo natural al cuidado
de la buena *Madremonte*.

Ante Satán enfrentado
Francisco el Hombre tocando,
El gritón va atormentando
El bufeo colorado.
El padre descabezado
Laguna de Capuchino,
El patetarro cretino
El guando pesada carga,
Mandingas, María larga
con *El hachador de Ospino*.

La poza del temblador
El poira, *Las arrincones*,
El patas, *Las ilusiones*
Las brujas, *El leñador*.
Aparo, *El cazador*
misterio *El pozo encantado*,
y cuida al hombre extraviado
El hojarasquín del monte,
El tunjo, *El bracamonte*
y la leyenda *El Dorado*.

La madre de agua bendita
de un *castellano* hija,
Leyenda de la botija
Los duendes, *La mancarita*,
Mula de Rafles marchita
la cosecha si la toca,
Cucacuy que al diablo invoca
La viuda se ha de vengar,
Ánima Juan Salazar
El espanto de la roca.

Es *El bobo del tranvía*
la leyenda que se ambienta,
justo en los años cuarenta
cuando el Antonín corría.
A todos les sonreía
con un ademán de agrado,
saben que *El encadenado*
de Michelena transita,
por el barrio Santa Rita
lánguido y enamorado.

Más canciones: *Mariacela*
Tarde sin sol, *Solo hay una*,
La garza, *Noche sin luna*
Acuérdate, *La gemela*.
Por *Colombia y Venezuela*
en mis dos tierras me planto,
en eso no me adelanto
que lo sepa *La farsante*,
yo, como *El ají picante*
Amor se escribe con llanto.

¿Quién no se ha de enamorar
en las *Playas de mi tierra*?
Cada mujer nos entierra
la flecha de su mirar.
Entre *Playa, brisa y mar*
Tres perlas y *Micaela*,
Morena color canela
Mi novia sincelejana,
con *Mi cumbia colombiana*
bailo *Al son de Venezuela*.

El almirante Padilla
y la *Cumbia huerfanita*,
El gato de Marujita
Igual *María Varilla*.
Si un talismán tanto brilla
o en humo te ves envuelto,
si *El chamizal* ves revuelto
y correr *La cabra mocha*,
habrá quemado la trocha
Satanás, *El diablo suelto*.

Voy *Camino de Herradura*
Yo sí toco clarinete,
La muerte de Guaripete
y *Volver a la ternura*.
Mes de mayo en la llanura
con *Sabor de mejorana*,
una *Cachucha bacana*
Muchacha de San Fernando,
Gaita a Cabimas, *Coleando*
sacó *Mi primera cana*.

Qué *De dónde vengo yo*
me decía *La guaneña*,
Blanquita linda y risueña
su *Encanto* me enamoró.
Un anzuelo me lanzó
lleno de mucho candor,
respondí con buen humor
de la *Tierra de negritos*,
Cuna pobre, Clavelitos
Tú serás, *Viva el amor*.

Yo vengo de donde son
las mejores cantadoras,
poetisas, escritoras
de tan **Noble adoración**.
Llenas de inmensa pasión
y aquí la pasión subrayo,
Gotas de ajenjo que ensayo
con **La mujer de mi vida**,
con **Mi nieta consentida**
y **Serenito de mayo**.

Recorriendo Margarita
en **Nuestra fiesta**, **Daniela**,
Mercedes vive cautela
No me busques, Madrecita.
Como es tan bella y dulcita
hoy me siento **Arrepentido**,
Cuando se es correspondido
no vale poner un pero,
La quiero porque la quiero
ya **Lo tengo decidido**.

Quiero que tu amor se vaya,
Seguiremos como amigos,
le cantaste con testigos
la **Cumbia de la atarraya**.
Muchos la llama: **Canalla**
además: **La interesada**,
me dijo muy relajada
mirando **Hacia el horizonte**,
Póngale cariño al monte
ya, **Mejor no somos nada**.

Por **La mujer perequera**
y su firme decisión,
tomé sin vacilación
mi **Equipo de carretera**.
Ella y su **Alma viajera**
de golpe me dijo así:
hombre **No soy para ti**
ni **Qué beso ni qué na**,
y **Con las muelas pelá**
yo **Tarde lo conocí**.

El cuatro y el interés
Solos en el paraíso,
Soltero y sin compromiso
yo vivo contento *A pues*.
María Antonia, la que es
una bonita gitana,
a quien dije esta mañana
Tu amor, la luna y el río,
y un beso además envío,
por esa boca tan grana.

Como un *Barco a la deriva*
anda la *Dueña y señora,*
Muchachita encantadora
sintiéndola *En carne viva*.
Otra joven llamativa
bailó con *El barinés,*
el *Ave María pues*
lo alegraba con su goce,
entre *Cinco pa las doce*
y *A las doce menos diez*.

Fallaste, *Flor sabanera*
El caporal y el obrero,
El por qué soy parrandero
y la *Cumbia marinera*.
La lora, Si yo supiera
El desfile, Un guarao,
La sampá, Burro amarrao
Mi sentencia, Ojo al toro,
con el *Compae Heliodoro*
Mi cafecito colao.

Sabes que *El nueve de abril*
perdimos nuestras cabezas,
para mayo *Las cerezas*
te daré *Rosa gentil*.
He de ser bien señoril
con mi recién conocida,
Golondrina consentida
al fin me correspondió:
tú y *Mi tierra Chocó*
Lo mejor que hay en mi vida.

163

Igual *Te vengo a cantar*
usando mis redondillas,
Escándalo en tus mejillas
y *Así te voy amar.*
A quién no le va a gustar
Presagio, *Porro bonito*,
Un son de amor, *El negrito*
Napoleón, *Pa Curimagua*,
Mi suegra, *Vasito de agua*
y *Porque soy morenito*.

Mi *Cumbia sincelejana*
A mi Colombia dejé,
y a Venezuela llegué
cantando *La grey zuliana*.
Allí *La venezolana*
que ese día me esperó,
contenta al fin me entregó
bajo un ambiente gaitero,
parte de un gran cancionero
que un día me prometió.

Ni cuerpo ni corazón
Tan bella y tan presumida,
La arepa, Se va la vida
No digas, *El cabezón.*
Escalón por escalón
La cabuya, Oropel,
Que no que sí, Piel a piel
Ella, *Me mata el dolor*,
Mi gran loco y dulce amor
Sueños de cristal y miel.

Cajón de Arauca apureño
Ni pío, Podría ser,
El boga, La va a perder
La prima, El guarcirgueño.
*Pa qu*é *Luis*, *Canto de ordeño*
Caballito correlón,
Alguien cantó una canción
Cimarroneando tu amor,
La gratitud del cantor
y *Abismo de corazón*.

Negrita linda, *Negrita*
María Aguilera no hay otra,
con el *Corazón de potra*
por la tierra de *Garcita*.
Dame un beso en *La visita*
La miel de tu corazón,
y *Dadme tu bendición*
que tienes *Sangre apureña*,
Muchachita payareña
eres *Mi vieja ilusión*.

Esteros de Camaguán
Déjame, *La sombrerera*,
No me dejan que te quiera
Mi credo, *Canto a San Juan*.
El tizón, *El gavilán*
Musasito, *No era el nido*,
Lleno de ti, *Afligido*
una *Cumbia sobre el mar*,
Indira, *Bajo el palmar*
y *De rodillas te pido*.

Con gran pesar vi caer
Lágrimas en el tranquero,
La tristeza de un llanero
por una *Mala mujer*.
El mártir vi padecer
por esta *Mujer ingrata*,
es que le *Falta la plata*
le sobran *Gotas de llanto*,
lechuzas no canten tanto
No cantes más paraulata.

La josa, *Yo soy zuliano*
Lo que es felicidad,
El fuerte, *Humanidad*
Guardatinajas, *Mi llano*.
Bejucos, *Soy chocoano*
Dónde, *Esta cumbia es mía*,
Cosa sabrosa, *Confía*
Muchacho criollo, *Macondo*,
con *La maleta sin fondo*
Penas y melancolía.

La noche de tu partida
No le temas al amor,
La raya, *El conductor*
Serenata compartida.
Un año más en tu vida
Ser mujer, *El huerfanito,*
Kilele, Morichalito
Con sentimiento veguero,
Esto es lo que hay, Seis cerrero
El campo es lo más bonito.

Es *Amalia* mi atadura
Bonita como mi llano,
jocosa y *A lo zuliano*
continuó con la lectura.
El *Concierto en la llanura*
Madre déjame luchar,
A cambio, *Después de amar*
El bote, *El armadillo*,
unas *Coplas de bolsillo*
y *Te tengo que olvidar.*

Te busco, *Himno madera*
Tuve un amor, *Mata e caña,*
Flor del campo, *La cabaña*
El mono, *Es primavera*.
Yo tuve por vez primera
parado de los tropiezos,
contratiempos y sucesos
a mi amante confesar:
sabes que deseo estar
Prisionero de tus besos.

Tú *Puedes contar conmigo*
De vuelta a tu corazón,
una *Sentida canción*
para ti *Mi buen amigo.*
Arbolito, sos testigo
de aquel *Viernes de quincena,*
pero al saberlo *Serena*
dijo: *Ni con brujería,*
lo vi con *Rosa María*
con *La negra Filomena.*

La princesa del Guerrero
el **Corazón** y **En lo oscuro**,
Mi vida eres tú, **Lo juro**,
Esperaré, **El playero**.
Guayabo eterno yo espero
se borre la **Honda herida**,
Mi Venezuela querida
El pasaje del olvido,
Aunque sufriendo te olvido
Dos mujeres en mi vida.

Mi canto jiriuelero
que canten los cantadores,
con **La gaita de las flores**
y **Alcaraván del estero**.
Hojas secas, **El velero**
y así **Me la juego toda**,
pero si me hablan de boda
la cosa se pone fea,
piense, **Oiga, mire, vea**
Yo no sé si estoy de moda.

El **Amigo caminante**
su pundonor defendió,
cuando al final le cantó
Me Pensarás, **Yo cantante**.
Tan servidor y galante
miró a su **Amor de frente**,
con **Un beso es suficiente**
el que un día te pedí,
te preguntarán por mí
Cuando alguien te presente.

Mina de amor, **Don Ramón**
Lejano, **Yo soy Montoya**,
No hay una vaina más criolla
La huella de tu traición.
Llévatela, **Decisión**
Mi joropo relancino,
Nuestro amor es el destino
Cucarachero araucano,
El mejor burro del llano
y el **Romance campesino**.

Amor de hospital, *Mujeres*
Mi amigo Dios, *El bufón*,
No basta, *Indecisión*
Mi cama, *Tú sí me quieres*.
Los gustos de Víctor Pérez
Celos, *La mujer celosa*,
Rosa, *La gata golosa*
Me niego, *El baratillo*,
Majagual, *El pajarillo*
y *La mujer caprichosa*.

Agáchate el sombrerito
Guayanés, *El papagayo*,
Aguacerito de mayo
La envidia, *Aquí mismito*.
Martha, *El caramelito*
Pata e jarro, *Mi desvelo*,
Pueblos tristes, *El mochuelo*
Errores, *Esta es mi gaita*,
Pavo loco, *Pa mi taita*
Una parranda en el cielo.

Mi señora campesina
Esperanza americana,
El marco de tu ventana
y *La bendición madrina*.
El gato de mi vecina
Pozo jondo, *Río seco*,
Cangrejo de un solo hueco
El que sabe no se apura,
Cartagena, *Sabrosura*
La gorra, *El patuleco*.

Mueve un pie con *Andreina*
oyendo *Caracas vieja*,
suspirando en cada reja
con la *Cumbia campesina*.
Las caricias de Cristina
en una *Tierra caliente*,
Ingenua, tan inocente
Sombra en los médanos con,
Dónde estará, *Mi canción*
Una historia diferente.

Canto para no llorar
Ritmo y tambó, *El tramao*,
Sígueme, *El santiguao*
Bésame, *Me va a extrañar.*
Te voy a dejar de amar
El suspiro, *Alma mía,*
son *Las Tetas de María*
Guevara quietos volcanes,
La noche, Los arrayanes
Yo no lo sé, *Brujería.*

Loco, la *Razón de amarte*
y *Voy a cambiar por ti,*
ten *Lo que quieras de mí*
pues no sé *Cómo olvidarte.*
Es que *Voy a conquistarte*
tras *Nuestra separación,*
Criollito como el fogón
para seguirte adorando,
y a ti llegaré cantando
La historia de un corazón.

Es tuyo mi *Atardecer*
con *Mi pedazo de cielo,*
A quién engañas abuelo
Hurí, Morir es nacer.
Aquella hermosa mujer
con *La guitarra* ha sonado,
Enfurecida ha contado
su nobleza en testimonio,
La muerte de Abel Antonio
y *El pañuelito encarnado.*

Un gesto tuvo por mí
de miradas un derroche,
al *Igual que aquella noche*
preparado me sentí.
La negra Celina allí
Recordando a Mamonal,
me dio un gusto musical
su *Sindicato de amor,*
Romance, Gracias Señor
El guapo y el *Mejoral.*

Señora María Rosa
una ***Llovizna de amor,***
la ***Joven*** un ***Cundeamor***
y ***La negra guapachoza.***
Y hablando de ***La melosa***
bien sabe que la idolatro,
y cual si fuera un teatro
y verdadero a la vez,
yo tengo el ***Amor de tres***
y así ***Felices los cuatro.***

Un día ***Me ilusioné***
en la ***Otra primavera,***
por ***Gloria, La brasilera***
lo que ***Nunca imaginé.***
Algún día ***Cambiaré***
hoy sigo en ***La soltería,***
sigo con ***La travesía***
buscando ***Mi salvación,***
soy ***Dueño de mi pasión***
al final ***La culpa es mía.***

Afirman con ***Mil razones***
La ciencia oculta, los dioses,
Rumores de viejas voces
que tengo ***Dos corazones.***
He pedido ***Mil perdones***
y con ***Mi mejor canción,***
con ***Un solo corazón***
ya ***Buscaré quien me quiera,***
lo mismo que la ***Quimera***
La vida es una ilusión.

Nubes negras y ***Emociones***
por ***Trovador ambulante,***
esta rima consonante
con el ***Collar de canciones.***
Siendo un ***Rompecorazones***
Ni llorando me conmueve,
Cuando el pobre lava llueve
y con el ***Tiempo vencido,***
Carmen Gómez se me ha ido
en el ***Cero treinta y nueve.***

170

Por *Zángano, Mi lamento*
ahora *Muero de pena*,
he de cumplir *Mi condena*
hoy haré *Mi testamento.*
Perro mundo, Mi tormento
usted *Me tiene atrapao*,
Se va, *se va, Renegao*
Elisabeth, Qué me hiciste,
me dejas *Mi canto triste*
y el *Corazón estillao.*

Y *No me digas adiós*
como *La indispensable*,
y si *Usted es la culpable*
no es por *Culpa de los dos.*
Como yo, Dile a mi Dios
pero nunca a *La Caimana*
ni a *La hija de Susana*
ni a *Paula* ni a *La doctora*,
Camino triste, Traidora
la *Mujer de la sabana*.

Como soy *El gladiador*
con pasión *De otro planeta*,
volveré con *Enriqueta*
mi *Senderito de amor*.
Igual que *El indio Pastor*
soy *El niño majadero*,
me llaman *El montañero*
y ante un *Amor desgraciado*,
vuelvo a mi *Pueblo soñado*
El llano pariaguanero.

La *Historia de amor* andando
entre las buenas y malas,
y con *El viento en tus alas*
más lejos te irás volando.
Yo *Me estoy enamorando*
es *La que me mueve el piso*,
cómo fue, *Cómo lo hizo*
así tan *Campesinita*,
mi *Carmela, Tan bonita*
Del infierno al paraíso.

Sale un *Toro correlón*
una *Sorpresa en la manga*,
Señora Bucaramanga
siendo *Mi nueva ilusión*.
En verdad el corazón
que ahora tengo en *Salsipuedes*,
pues con *Cecilia Mercedes*
ya cumplí los *Ocho días*,
como *Las locuras mías*
son *Las vainas de Diomedes*.

Destellos de amor que van
La hipocresía, traiciones,
contando *Mis ilusiones*
presiento regresarán.
No he sido ningún truhan
tan siquiera un *Caprichito*,
la tigra mi *Consuelito*
campante se viene y va,
no más *Cuando el tigre está*
en la cueva tranquilito.

Esa mujer, *Colosal*
el amor *De piel a piel*,
un *Amor a otro nivel*
A mi familia especial.
Amor de entrega total
¡y la *Inspiración divina!*:
es mi mujer *Pueblerina*
son *Mis hijos* y *Mi viejo*,
tomando *El mejor consejo*
de *Mi vieja campesina*.

El mango y *Amor bonito*
te traigo *Todas las flores*,
Caracoles de colores
con un *Amor infinito*.
He traído *El regalito*
unas *Flores para ti*,
si ayer tus besos perdí
Por culpa de tus resabios,
hoy *No te muerdas los labios*
Enamorada de mí.

La que me pone a bailar
me ha pedido *El favorcito*,
vaya *Poquito a poquito*
para poderla escuchar.
Se logró recopilar
Mar azul, *Cabeza de hacha*,
Concha, *La banda borracha*
Cali, *Tierra labrantía*,
Romanza, *La vaquería*
y *Resteao por mi muchacha*.

También *El aguardientoso*
Pedacito de mi vida,
Vuelve, *La arrepentida*
el *Paseaito sabroso*.
Me dio *Canchunchú dichoso*
Tambores, *Cualquiera va*,
Cucule, *Mi Bogotá*
La burrita de Eliseo,
Mi pasión por el coleo
La olla de mi mamá.

Me tienes enamorado
Sufro queriéndote ahora,
Agua fresca a toda hora
Aunque me encuentre casado.
El peón y el hacendado
me han hecho la despedida,
la *Morena consentida*
me dijo sin vacilar:
yo lo tendré que olvidar
y *Para toda la vida.*

Sin dudas me debo ir
Será mejor olvidarte,
no tengo nada que darte
y mi trova ha de seguir.
Me tengo que despedir
llevándome un mal sabor,
ya *Nada igual que tu amor*
y me quitas sin pensar,
la *Alegría de soñar*
la *Ilusión de un soñador*.

Voy a aguantar, lo *Prometo*
Tengo ganas de llorar,
hasta Lara vine a dar
Oyendo: *Barquisimeto*.
Confortado *El esqueleto*
me dijo el guaro temprano:
Llanero vuelve a tu llano
salúdeme a *Rosalía*,
dígale que se lo envía
El gavilán tocuyano.

Por el camino pelao
encontré *Mi llanerita*,
un *Himno a la mamacita*,
Un cazador despechao.
Más allá, *Flor del cacao*
No aguanta un vamo, Señora,
los guaros cantan ahora:
Cada quien tiene lo suyo,
y se escucha en el Tocuyo
Magia tiene la tambora.

En *Carora* se tutea
con el nuevo visitante,
aparte de buen cantante
con la rima se codea.
El burro de la manea
que con violín le tocara,
para que no se quejara
le brindó su buena obra,
Ni le falta ni le sobra
con *El garrote y la vara*.

La niña Heriberta quiere
Yo soy larense, Sogore,
usted no me la enamore
o no se me desespere.
Que la Virgen se venere
ya lo ha dicho un quiboreño,
se oye un *Golpe caroreño*
El poco a poco santigua,
Yo si soy de Curarigua
Orgullo curarigüeño.

Esta mañana la vi
linda como una camelia,
Los amores de Romelia
aquellos que merecí.
En la fiesta comprendí
lo de la potra y su amo,
Montilla me hizo el reclamo
se veía bravo estaba,
al tiempo que zapateaba
El golpe del cachicamo.

Me salvó del *Huracán*
la otra *Excelsa patrona,*
la doña *Cira Ramona*
Las campanas de San Juan.
Roja cual paraguatán
la señorita miré,
en el baile la rocé
cenizas, leño de amor,
El curruchá con calor
No entiendo por qué se fue.

Fueron *Cuatro corazones*
que pelearon por la guara,
bajo la *Luna de Lara*
El sediento y *Mil canciones*.
Pa qué lloras, Confesiones
El quitapón, Andinita,
Tu enredo, Que se repita
El rey guajiro, El diario,
La bebé, Doña Rosario
Te juro, *La dinamita*.

De cantar *A Sogamoso*
vine a *Mi Puerto Cabello*,
apostando *Cara y sello*
por el *Camino amoroso*.
El violín, Hombre celoso
Escucha mi serenata,
La sirena, La mulata
sabroso *El primer café,*
Te pienso, *Ya te olvidé*
y *Carta para una ingrata*.

Canto oriental, *El cartero*
La amargura del diamante,
El viaje, *El caminante*
Alcaraván compañero.
Llanero soy, *Soy llanero*
Tarjeta de Navidad,
Campesino de ciudad
Canoero del Arauca,
Mirando el Valle del Cauca
No quiero ser la mitad.

A tiempo, *Es diferente*
San Pedro, *El ermitaño*,
Podemos hacernos daño
y *Mírame fijamente*.
Cumaná, *Sangre caliente*
El gato se lo comió,
Mi mujer me amenazó
Fiesta en Elorza, *Potrillo*,
Estampa del pajarillo
Dónde estás, *Mi llano y yo*.

El pájaro mañanero
Libre, *Las flores del Tuy*,
Un hombre, *Auyantepuy*
No digas que no te quiero.
Hoy por mí, el *Prisionero*
Yo no sé qué pasará,
y con *Lo mismo me da*
la *Plegaria vallenata*,
Después de ti, *Serenata*
y *A ritmo cha cun chá*.

Callecita colonial
Mi nuevo amor, *Cerecita*,
La cumbia, *La periquita*
Amo, *Nada sigue igual*.
Lo que ayer era normal
Sálvame, *Soy nariñense*,
Lunita vallepascuence
Agobio, *Las lavanderas*,
Nada y *Cuando me quieras*
con mi *Nostalgia larense*.

Gladiolas te voy a dar
porque *El campo está florido*,
y a su vez *A Dios le pido*
todo el *Tiempo para amar*.
Al cielo *Crepuscular*
que escuche mis oraciones,
pero si tienes razones
de peso para al fin irte,
No vayas a despedirte
con *Una de mis canciones*.

Lo que pasó *De repente*
hace que hasta hoy me abisme,
por *La cadena del chisme*
que ocurre frecuentemente.
Repica *Tambor* candente
Tamborito chocoano,
Los tres valores del llano
me dan valor enseguida,
Hoy daría yo la vida
solo por *Juana Manzano*.

Por *Las canas de mi vieja*
busco *La más buenamoza*,
La costeñita, *La moza*
Es mi niña, miel de abeja.
Y si mi *Dios no me deja*
me vería con *Susana*,
Anita la bogotana
Maruja quién lo dijera,
y qué mejor *Compañera*
que *Mi linda colombiana*.

Adiós, amores impíos
Adiós barrancas de Arauca,
es que a mí nadie me embauca
en cuestiones de amoríos.
Que vengan más desafíos
que lidien miles furores,
Besos fingidos, traidores
La maestra del engaño,
porque yo obtuve este año
Un doctorado en amores.

177

Boquita de caramelo
y mi *Lindo clavelito,*
sabes que soy *Tu angelito*
viendo *La cima del cielo*,
Al compás con ella vuelo
Piénsalo bien, *Ay*, *Elena*,
Ojalá, *Canta morena*
en la *Ola de la mar*,
es que *No puedo evitar*
tener tu *Amor en la arena*.

Palmas con sabor a sal
las cumbias en La Boquilla,
nos vamos *Pa Barranquilla*
con la *Cumbia tropical*.
Arrecifes de coral
sangre en la roca tallada,
sin poder ser doblegada
diciéndome *Esa morena*,
es que *Yo soy Cartagena*
de aquella Nueva Granada.

La carretilla jugué
canto y bailo torbellino,
Buenos días campesino
saludo con: su mercé.
Sabes que nunca me iré
Virgen de Chiquinquirá,
soy el que aquí vivirá
y que Dios meta su mano,
Yo soy boyacense hermano
lo mismo de Boyacá.

Venezuela es una dama
Pa Colombia me he de ir,
y *Hoy vamos a salir*
El currulao me llama.
El que no llora no mama
lo llevo como amuleto,
a las pruebas me someto
Noche tras noche oportuna,
Bajo la luz de la luna
en *Aquel lugar secreto*.

Vivo cantando, *Volando*
no se me pongan nerviosas,
Rosas rojas, Cuatro rosas
Echando piropos ando.
Rezaré a *San Fernando*
Un día domingo en misa,
y si me deja *Melissa*
igual voy a confesarme,
ya sabré recuperarme
con *Las caricias de Luisa.*

Ven que te amo, mi *Victoria*
son muchos los *Tiempos idos*,
ahora comprometidos
atrás con la *Triste historia.*
Lo expreso en forma notoria
que todo en ella consigo,
pero es que además te digo
que me gustan *Las caleñas*,
me gustan *Las caraqueñas*
pero *Me quedo contigo.*

Será el *Temperamento*
sentimental del Caribe,
que en lo profundo percibe
este dulce encantamiento.
Muchas han hecho el intento
de darme una voltereta,
Un guayabo se respeta
le dije a la *Tumbatecho*,
en fin, *A lo hecho*, *pecho*
Qué me importa, *Soy poeta.*

La lira, El cigarrillo
La noche, El requesón,
Otra noche de ilusión
con *El pájaro amarillo*.
Un *Aguinaldo con Billo*
esta Navidad nos trajo,
el *Río Neiva* agua abajo
me da la cena del día,
no diga *Carmen María*
que soy *La flor del trabajo.*

Para ver el resultado
de la tarea asignada,
en Neiva fue convocada
una junta de alto grado.
Cien damas han confirmado
que por nada faltaran,
de allí que se cortarán
las flores en su momento,
para llevar al evento
***Claveles de Galipán**.*

El tiempo**, **Son de tambores
***Quiero amanecer**, **Cantando**,*
A besitos**, **Añorando
***Dónde están esos amores**.*
Las acacias**, **Sin rencores
***Tres noches**, **No queda nada**,*
Se te nota en tu mirada
***Mi esperanza**, **Tú verás**,*
Ya no le camino más
y ***Amor en la enramada**.*

El beso que le pedí
se ha visto en un vil secuestro,
Hágame un tiple maestro
fue que la pata metí.
Es normal sentirse así
***Metí la pata completa**,*
vivaz ***María paleta***
me miró con ***Teolinda**,*
me vio con ***La flor más linda***
y ***Lo ajeno se respeta**.*

En la inmensa ***Lejanía***
tuve un ***Romance apureño**,*
El pasaje menoreño
por mi ***Cándida María**.*
Mi taita me lo decía
***Los viejos están mandando**,*
hoy se sigue lamentando
***La muerte del rucio moro**,*
me queda ***El caballo de oro***
***Sigo coleando y cantando**.*

Un **Perro fiel**, **El buen gallo**
Un moro y un alazán,
los que jamás comprarán
Yo no vendo mi caballo.
No vendo **Mi burro bayo**
no vendo a **La fundadora**,
han venido a mala hora
El gallo pinto no vendo,
a **Furia** no estoy vendiendo
por nada, **La yegua mora**.

No venderé **La burrita**
ni **Mi gallo zambo** fino,
Mi riqueza y **El molino**
de mi **Linda llanerita**.
Me dijo mi **Morenita**
insistió **Mi negra Rosa**,
muy **Sencilla y cariñosa**
que vendiera **El azulejo**,
pero no el **Caballo viejo**
ni **La vaca mariposa**.

Gabán con **Sentir patriota**
Sin ti, Tú vas a volar,
Tonto Malembe, Llorar
Ni en pintura, **Mi derrota**.
La indiferencia, **Gaviota**
Tengo ganas de beber,
Quiero paz, **Quiero volver**
La batalla del amor,
Derrotado en el dolor
y **Cuando te vuelva a ver**.

Y con **Una casa bella**
hoy me siento **De contento**,
hicimos un **Juramento**
si no, **Que lo diga ella**.
Y **Que no quede una huella**
de **La traición de Mariana**,
Mi periquera baquiana
es por esta **Guarapera**,
por mi **Devoción gaitera**
y por **Mi tierra zuliana**.

Que soy **Cartucho quemao**
han dicho algunos señores,
mejor unos **Cantadores
de mi patria** lo han regao.
Es mi **Joropo coleao**
y nada **Por qué culparla**,
un día quise buscarla
sin dar tregua ni cuartel,
y al dudar ser **Fiel o infiel**
Me emborraché pa'olvidarla.

Mil horas, **El marañón**
Guarapita, **El ausente**,
El Bagre, **El aguardiente**
Mi rancho, **El mochilón.**
Taganga, **El coletón**
La peste, **El mochilero**,
La trampa, **Tres cienaguero**
Cuyagua, **El colibrí**,
Mi mujer, **Te irás de mí**
Fanny, **Lamento llanero.**

Sabana candelariera
Arbolito sabanero,
El burro festivalero
y **María la bollera.**
Muchachita sabanera
Espérame, **Mi aventura**,
Con tu amor y **Amargura**
Mi querido, **Punto Fijo**,
Llanura, yo soy tu hijo
Vagando por la llanura.

En **Mi vieja Barranquilla**
miré la danza de Congo,
Barranquilla y **El moñongo**
gustan a mi camarilla.
En esta misma cuadrilla
dejé pasar la pelota,
pues decía **La padrota**
De nuevo en las treinta y dos,
El dato es flecha veloz
Lo que no sirve se bota.

Mi linda Betty la oyó

Mi muchachita del llano,
ambas me dieron su mano
Timotea se acercó.
La Zenaida me abrazó
y me sujetó de un brazo,
Olga me dijo de paso
hoy mismo *Te llevaré*,
En silencio te amaré
salvándome el *Campanazo*.

La plegaria por la paz
La deuda, Aquel zuliano,
Haces bien, Muy colombiano
Hoy me dices que te vas.
La guaca, Qué vale más
La vaca, Vivir bailando,
Por un adiós, Chapoteando
Ven y dime, Qué te pasa,
Química, Volver a casa
y *Por estarte adorando*.

Adiós, Apure querido
se *Me parte el corazón*,
Hoy, por fin, Adoración
El quedao, Me has mentido.
Buen apoyo que he tenido
mil gracias, *Gracias mi llano*,
un buen *Golpe tocuyano*
el golpero le cantaba,
verás que todo se acaba
Cuando te llegue el verano.

Viento verde, La Jornada
voy trovando con ahínco,
Gaita del sesenta y cinco
con una *Bella cascada*.
Sin llorar, Todo o nada
Cumbia negra mi alma llenas,
El fuete, Largando penas
Don Serapio, El trapiche,
Sabanas de Cunaviche
El totumo de Guarenas.

Hoy es domingo María
Reyesco, A Palmarito,
Yo soy la luz, El palito
La china que yo tenía.
Amor de la vida mía
La zapoara, El marino,
La Maye, Sueño latino
Que me coma el tigre y,
La culebra, Choroní
Atardecer mirandino.

El errante, Cenicienta
La rosa, Chica ideal,
Juan Griego, perla oriental
Llanero siente y lamenta.
El leñazo, La tormenta
Pesares, Pobre gorrión,
El calor del corazón
Los novios, El barrilito,
Nuevo circo, Pobrecito
junto al *Toro cimarrón.*

Bajo el cielo de Falcón
La receta y *Aventura,*
Te vi, La piña madura
Este pobre corazón.
Ella y yo, Flor de pasión
La voy a tocar a pie,
Tambores de Pacandé
Que vuelva, el *Pastelero,*
Diciembre azul, Montañero
y *El Camino del café.*

Mi verdad, El apagón
Te creí fiel, El coquero,
El burrito sabanero
Un osito dormilón.
Dilo, Tengo corazón
Sin tu amor, Vine a buscarte,
Hola, rola, Por gustarte
Cadenza con guacharacas,
La soga, Canto a Caracas
Ven y *No puedo olvidarte.*

Qué raro, *El estanquillo*
Coplas, *Te juré mi amor*,
Cantor, poeta y pintor
la *Fuga con pajarillo*.
Que no me agarre el cuchillo
y *Cállate corazón*,
la *Vela, tabaco y ron*
he puesto en una rocola,
tomando *Ron de vinola*
con un *Pájaro picón*.

Mi comay Juana María
Por ti, *San Juan to lo tiene*,
Ya es tarde, *Cumbia Marlene*
La estaca, *Llanera mía*.
Caraballeda y *El guía*
Tú con *Eras diferente*,
Cosas nuestras, Inocente
Nostalgia, *Plinio Guzmán*,
una *Carta a Juan Farfán*
un *Mensaje a Juan Vicente*.

Miel y sal, Paraguachón
Aunque ahora estés con él,
La misión de Rafael
Mi tierra, El rezongón.
Misterio, *El apretón*
Ojos negros, Clavelito,
A mi madre, Bailaito
Mar de la Virgen bonita,
La lapa, La pastillita
Arrullo para un negrito.

Es pura *Madera fina*
El vendedor de ilusiones,
haciendo mil reflexiones
notó la *Nostalgia andina*.
Con la *Luna decembrina*
hizo el universo suyo,
con un verso hizo un capullo
El cielo a tus pies rendido,
La canción que siempre pido
solo *Un querer como el tuyo*.

185

Cantando **Reclamo a Dios**
Me cogió la noche un día,
viviendo mi fantasía
como en *El Mago de Oz*.
Si **Tu amor me parte en dos**
tu **Ternura** me quebraja,
te dejaré **La ventaja**
a **Luz Mery** me la llevo,
La víspera de año nuevo
Las copas y la baraja.

Y **Del puente para allá**
tendrás un **Amor comprado**,
Carrizo desesperado
te dieron las **Tres puntá**.
Y **Mejor que a ti me va**
eso en verdad me consuela,
Viejos anhelos, Mariela
y **Se te fueron las luces**,
por **La reina de Las Cruces**
y por **El fiambre de Estela**.

Noche de copas por ella
Una copa más da igual,
mi **Palmira señorial**
palmireña **Bella estrella**.
Te irás a **Mi Cali bella**
sin escucharme un instante,
yo busco un **Amor constante**
Una lady como tú,
pero sin ningún tabú
Amiga, novia y amante.

De ti se enamorarán
como yo **Morena Clara**,
Dos luceros en tu cara
alumbran a **Pariaguán**.
El joven líder galán
tiene clarita su meta,
pero digan quién aquieta
a un hombre ante tales seres,
ante todas las mujeres
más bellas de este planeta.

Caridad, *Mi inspiración*
como *Josefa Matías*,
sé que *La vela* prendías
La gira, *El marañón*.
Mi bajo y yo en el rumbón
mi linda *Perijanera*,
la *Jota carupanera*
Bello lunes, *Vuelta y vuelta*,
cual si fuera una revuelta
un *Invierno en primavera*.

Picoteando por ahí
con *Mis ilusiones* rotas,
un *Amor a cuentagotas*
más *Cuando no se de ti*.
Donde yo *Te conocí*
y a donde regresarás,
donde me repetirás
que *Un nuevo amor* has logrado,
y tal como yo he llorado
por tu culpa *Llorarás*.

Lo sabrás *Tarde o temprano*
que bien *Yo sí soy criollito*,
con mi *Sancocho e güesito*
y con la *Flor de verano*.
Viejo cajón araucano
me voy que *La sangre llama*,
Mi sombrero bella dama
me lo quito sin complejo,
ante *El sombrero de Alejo*
y *El sombrero peloeguama*.

Pan de pobre, *Ella o él*
Camino real sabanero,
La herencia de mi sombrero
Los retoños del laurel.
Eres *Mamá Isabel*
sin dudas la protectora,
Dios te bendiga señora
Mujer oriental, mi abrigo,
Señor calendario sigo
Buscando mi coleadora.

Llanero de pura cepa
La parranda y la mujer,
Ya no eres tú y *A comer*
con el *Pásame esa arepa*.
Antes que el diablo lo sepa
este que en mi mente cargo,
pasaré mi *Trago amargo*
y al salirme de este enredo,
En Barranquilla me quedo
o *Pa la Guaira* me largo.

Por *Otra cara bonita*
mi *Orgullo andino* sentí,
y por suerte para mí
hoy tengo *Mi guabinita*.
Probé con *La cucharita*
el sabor de Saboyá,
y si esta mujer se va
teniendo el *Fuego en mi mente*,
Sal y agua solamente
Mi propia vida será.

Se formó *La guachafita*
¡ay, mi tío, *Juan José*!
Dolores linda se fue
y llegó *La saporrita*.
Se vio con *Mi cachorrita*
las dos rabiosas están,
sé que no se calmarán
no se pueden contener,
dígame que puedo hacer
y *Perdóneme*, *tío Juan*.

Pagarás por lo que hiciste
dijo *María Marzola*,
fue que *Botaste la bola*
No se puede, no pudiste.
Mi *Linda Yanneth*, qué triste
poco más y se desmaya,
y si *Violeta* la toalla
quiere tirar abrumada,
dale una rosa encarnada
y *Déjala que se vaya*.

Deshojó la *Florecita*
la *Cayena y el jazmín*,
una y otra en *Tin marín*
pensando en *La suavecita*.
Pensando en *La noviecita*
Caracha Simón Caracha,
Campesino hasta la cacha
Un llanero enamorado,
diciendo *El encopetado*
Presénteme esa muchacha.

La avispa, *El avispero*
Idilio en el morichal,
Amor a lo natural
Mi negra, *Canta coplero*.
No creo en ti, *El torero*
De Requena no me voy,
Llano grande, *El playboy*
Codazzi, *A mí también*,
La tusa, *Ahora quién*
y *Te daré lo que soy*.

Llanero, sí soy llanero
Mi soga, *Eres mi sueño*,
Mi lindo llano apureño
Caujarito sabanero.
El pegao, *Sanjuanero*
El morrocoy, *El perico*,
Amanecí completico
una *Fiesta en corraleja*,
Mi gato, *La vaca vieja*
Guayabo de mes y pico.

Un guayabo motolito
Qué diciembre tan amargo,
Recuerdos de Banco Largo
No suframos caballito.
Compadre Gerardo Brito
Dos segundos, *La tijera*,
Dos noticias, *La chichera*
el *Golpe tradicional*,
aquel *Decreto papal*
y la *Gaita zandunguera*.

189

Cantan **Los cucaracheros**
relincha **Mi caballito**,
camina **El niño bonito**
Los caminos sabaneros.
Una **Noche sin luceros**
por **Camino polvoriento**,
supe de un remordimiento
que a la fecha no ha cesado,
qué lío tienen parado
Paredes contra Sarmiento.

Admito, **Sé que falté**
a la **Muchacha de quince**,
rapidito como un lince
La mula rucia ensillé.
Buscándola la miré
Sin penas ni desengaños,
estaba entre los rebaños
de aquella **Hermosa sabana**,
radiante, bella y lozana
aun **Después de tantos años**.

Le dije en **Los merecures**
tengo **Miedo de perderte**,
Traigo una pena de muerte
rogando que me la cures.
Contestó: no te aventures
fue un **Divorcio balanceado**,
le respondí enamorado
Tus ojos son dos diamantes,
no **Te hubieras ido antes**
Quiero volver a tu lado.

Lo digo **Porque te amo**
igual **Por un beso tuyo**,
Yo no soy el hijo suyo
que acepta cualquier reclamo.
A tu comprensión la llamo
mirando cuanto me hieres,
y si en mí tú no creyeres
diciéndome al fin que no,
como soy **Mi propio yo**
me iré **Si tú no me quieres**.

190

Colombia *Te quiero tanto*
gracias, *Así me hizo Dios*,
fuerte levanto mi voz
con la Virgen y su manto.
Camino real de mi canto
por la paz y no más guerra,
por ti mi lucha se aferra
como nunca había pensado,
por *Mi pueblo* liberado
por el *Amor de mi tierra*.

Con *Orgullo colombiano*
y un *Te amo*, *Venezuela*,
la gran patria que se anhela
nos llegará *Mano a mano*.
Llano querido mi llano
que nuestra unión se cultive,
que nuestro folclor motive
las *Preguntas domingueras*,
diciendo algunas llaneras
No solo de pan se vive.

Con *La dueña de mi suerte*
en *La casa de Fernando*,
donde estaban celebrando
que era mentira mi muerte.
Bien *Condenado a quererte*
lo digo muy emotivo,
siendo un día tan festivo
y no por cosa casual,
cantaron *Tan natural*
tocaron *El muerto vivo*.

Caballo viejo cebruno
Achaques, *El mala paga*,
Los charcos, *La verdolaga*
la *Caña número uno*.
Soy veguero, cual ninguno
hoy le dije *Adiós*, *Conchita*,
La chocita de Julita
por un *Amor ideal*,
seremos *Tal para cual*
te quiero *Colombianita*.

Confidente peregrino
de *La reina del espacio*,
Vida tranquila, *Despacio*
Dios te puso en mi camino.
El *Lamento de un marino*
que vive sus *Añoranzas*,
se suman cantos y danzas
he de seguir en mi atroche,
con *Maracaibo en la noche*
y *El barrio de mis andanzas*.

Piénsalo, *Nostalgia y pena*
El toro de don Manuel,
Doña Carmen, *El carriel*
Recordando mi morena.
La pauteña, *Azucena*
Corazón corazoncito,
La peste, *Amor bendito*
El brujo, *Mala jugada*,
Chispitas, *Mujer casada*
Adorado tiplecito.

La negra candela es
Mucha mujer, un embrujo,
la misma que me sedujo
así que ya *Somos tres*.
No la miraba *Hace un mes*
por mi agenda tan repleta,
Inesita, *La coqueta*
me habló de nuestros acuerdos,
El cuarto de los recuerdos
en *Tiempos de la cometa*.

Si el mar se volviera ron
Otra piedra en el camino,
Yo soy, *Amor cristalino*
Para qué, *Por qué razón*.
Maluca, *Indecisión*
La guácara, *El vampiro*,
Mi vejez, *San Casimiro*
El animal, *Dicha plena*,
la *Cumbia para Lorena*
El clavo y *El gallo giro*.

Deja tu amenazadera
le dije a *La consentida,*
los *Golpes que da la vida*
vámonos *Arpa viajera.*
Y yo solo en *La Rubiera*
soñé con *La rebuscona,*
me vi con *La canillona*
era *Justo y necesario,*
al final *Hacia el calvario*
hoy me lleva *La peliona.*

Cabalgando mi tristeza
La catira marmoleña,
Catira casanareña
Pluma y lira, Guayanesa.
Serenata en Portuguesa
Justicia, Lo que quería,
Mi gran amor, Vida mía
Ariel, Mi carta final,
Romance en el morichal
Romance en la lejanía.

Una copla recitaba
mirando *Mi catirita,*
La boyacense bonita
que embelesado miraba.
Mi Teresita que estaba
llegandito al fin y al cabo,
fue cortando oreja y rabo
a la tarima subió,
y el verso se me enredó
en *Las ramas del guayabo.*

Decía refunfuñando
esa *No es catira na,*
y a usted se le acabará
su juego en este parrando.
Mi cafetal, Chipoleando
la *Marea de la mar,*
Contigo para soñar
Déjala, La palmasola,
Tierra negra, La chipola
Vamos a contrapuntear.

Empieza contrapunteo
para que renombre ganes,
que van **Los dos gavilanes**
Entre romance y coleo.
Yo me quedo con mi feo
gritaban en forma clara,
y para que comenzara
al fin aquella cuestión,
terminó la afinación
y se vieron cara a cara.

Al fin, **El río soñó**
Cantinero por qué cierra,
El arpista de mi tierra
que arranque y empiezo yo.
La mestiza me inspiró
Como saliva de loro,
además, **Mi gran tesoro**
del baile la más bonita,
una **Linda llanerita**
La quirpa y **La barca de oro**.

De coplas traje un manojo
por si las quiere contar,
y aquí te invito a cantar
ponga su barba en remojo.
Trabajo que pasa el flojo
según la rima que empatas,
calce bien sus alpargatas
por si le tocara huir,
y es que le puede salir
El muerto de las tres matas.

Los dos habremos ganado
si las dos se maravillan,
Si de noche ves que brillan
las estrellas a su lado.
Yo soy **El abandonado**
Mujer maluca, mi amante,
Si yo no fuera cantante
no asaría dos conejos,
por eso me fui bien lejos
como un **Pajarillo errante**.

Lo mejor que me ha pasado
dijo **Teresa** en la fiesta,
una sátira respuesta
para aquel hombre casado.
Estás muy equivocado
y **El beso que me ofreciste**,
como a la **Muchacha triste**
La morena Encarnación,
no tendrá contestación
con **Las flores que me diste**.

Unas coplas de las buenas
dieron seguidas mil giros,
La dueña de mis suspiros
me atrapó con **Mil cadenas**.
Por las blancas y morenas
es que mi vida se ocupa,
sé que a muchas les preocupa
Me empaté con la catira,
tengo a **La negra** en la mira
Yo sí soy el papaupa.

Me lo contó Canelón
que ambos cantantes lucieron,
como en un tiempo lo hicieron
El zamuro y el avión.
Prendieron **Fuego al cañón**
para derribar el muro,
y por falta de carburo
La lámpara del amor,
con sus **Gotas de dolor**
nos dejarán en lo oscuro.

Anzoátegui me aguardó
mejor decir **Mi princesa**,
la **Mujer barcelonesa**
a mi lado regresó.
Enseguida me enganchó
cantando **Nací llanera**,
La cantante parrandera
El vuelo del gavilán,
En el día de San Juan
y **Sin saber que me espera**.

Hacia **Caracas** volé
cortando la misma tela,
y en la plaza Venezuela
con mil almas me topé.
Al llegar **Me liberé**
con **María Carolina**,
probando en la vieja esquina
la rica **Chicha y Pasteles**,
solo con mis **Dos claveles**
y con la **Imagen latina**.

Si preguntas a la gente
por un lugar alejado,
no será tan complicado
si le sigues la corriente.
Oirás seguramente
Mi compadre Villanueva,
algo que espero promueva
al escuchar el consejo,
A pedal y bomba viejo
y si no **El metro te lleva**.

Santa Marta tiene tren
Los cocos, playa contigua,
en mi **Santa Marta antigua**
tengo en **Colombia un edén**.
Santa Marta y tú proveen
el mejor **Quitapesares**,
una **Noche de azahares**
A Santa Marta me iré,
sabiendo que cruzaré
Las aguas del Manzanares.

Escríbeme tú sin miedo
en un **Papelito blanco**,
que este corazón me arranco
porque escribirte no puedo.
No voy a mover un dedo
y si en verdad no me cela,
voy a dejarte una estela
de esperanza cual buen hombre,
y **Quiero escribir tu nombre**
en mi próxima novela.

En el morral del olvido
yo voy a ***Morir de amor***,
pido ***Justicia señor***
no lo tengo merecido.
Un casanova habré sido
Amor a primera vista,
además, siendo realista
ni ***El muerto de Las Gradillas***,
hará temblar mis rodillas
cuando busque una conquista.

Soy de ti, La quiero y qué
el ***Ingrato corazón***,
El negrito sabrosón
Mi llanerita se fue.
Silenia, Me enamoré
Mi verso, Llano y encanto,
Piensa, No te tardes tanto
Cae la lluvia, María,
Mi última travesía
Mi tierra, ***Traigo en mi canto***.

Mi copla, ***Hoy es tu día***
mira la naturaleza,
es que la ***Lluvia*** se besa
con el ***Sol de mediodía***.
El ***Arco iris*** surgía
estando tan alejados,
estando tan separados
sé que ***Piensa en mí*** con ansias,
y más, ***Sin medir distancias***
aun ***Tan enamorados***.

El Arauca me hace espera
voy el Apure trochando,
Mi expresión ya están cantando
porque es bonita y sincera.
Tonada y ***Alma llanera***
la ***Envidia*** tras el amor,
La derrota y el dolor
por un bonito querer,
Cuatro favores, ***Mujer***
Dos naciones, un folklor.

Es un **Amor con locura**
Mucha dama, **Momposina**,
eres tú, **Mi vitamina**
pura miel, **Una aventura.**
Eres la **Fruta madura**
la que me habrá de animar,
y bien te quiero aclarar
quiero **Una vida contigo**,
Yo contigo, tú conmigo
pues **Te voy a conquistar**.

Julio Moreno llegó
del pueblo de **Soplaviento**,
informando en el momento
tío caimán enfermó.
Tomasito: que murió
ya vendrán los picotazos,
en fila largan los pasos
comienza la procesión,
el velorio y banquetón
por **Caimán y gallinazos**.

Me gusta mi camarón
El pescador y **Mohana**,
Los monos, **Adiós fulana**
Qué pena, El parrandón.
Rosa, El niño roncón
con el **Río Timbiquí**,
Porque mi boca es así
Tierra santa, Oí yo,
María no me llevó
Madera, Déjala di.

Por qué me pega, Conchita
Mi mamá que me parió,
Samba, Apila el arró
Pozo brillante, Tanguita.
Congo grande, Margarita
los **Cantos de cabestrero**,
Mi catana, Tambolero
la **Matica de bambú,**
La conquista, Chambacú
En manos del alfarero.

Mi suspiro, *El pregón*
La del pantalón de cuero,
repica *El embelequero*
igual *El tirabuzón*.
Tu tambor y el mío son
dos hermanos al cantar,
son como aquel repicar
Puya corre con *La arena*,
el *Buen planazo* que suena
y son *Así como el mar*.

Destino, *El angelito*
El gordo que siempre gana,
Pájaro de la sabana
Sempiterna, *Cangrejito*.
El festín, el *San Juanito*
Campo alegre, *Mona mí*,
El hacha, *El colibrí*
Llanera sin tachadura,
Un fuego de sangre pura
Volver a nacer de ti.

Torbellino está caliente
La puya, y *Siempre flaco*,
con *La oración del tabaco*
va la *Cantora de oriente*.
Juan Jiménez, otro puente
de tan *Orgullo oriental*,
en un momento especial
ella se destacaría,
y un tema nos brindaría
Soñé con el Mariscal.

He recordado la historia
oyendo *Los dos titanes*,
que permanecen guardianes
en el cantar a su gloria.
Con esta dedicatoria
Pal bailador, *Seis perreao*,
El carite, *El cruzao*
viva oriente y la Sirena,
viva *La parranda buena*
Aguinaldo del Callao.

Nido de amor, *Frente a frente*
Tres tigres, *La culebrita*,
La cigarra, *Rosalbita*
La bonga, *Estás pendiente.*
Tu sombra, *Mi confidente*
La mafafa, *Miserable*,
El verdadero culpable
Cuatro versos, *Nací solo*,
El hit, *Mi compadre Polo*
Que te cuesta ser amable.

Para Bogotá cantando
Fantasía Tropical,
Parranda en el cafetal
junto a *Me vieron llorando.*
El tren de seis, van tocando
Vale, *ve*, *El chanchullito*,
Labios de miel, *Caballito*
con *Cali mujer divina*,
El cura, *Mi tierra andina*
La oveja loca y *Carito.*

Entre las copas de vino
Si la ves, *Tú de qué vas*,
Ligia, *Dame un poco más*
y *La banda del vecino.*
Romance junto al molino
Mi retorno, *Mi Rosita*,
Los vaqueros de Garcita
No te vas, *Quién me mandó*,
Marleny, *Mi hermano y yo*
Soy feliz, *Sanjuanerita.*

Si la tierra, *tierra*, *fuera*
La inspiración del chofer,
Dile, *Lo volviste a hacer*
Quítate de mi escalera.
Mi eterna reina, *Quisiera*
Aquí estás otra vez,
Uno y uno igual a tres
Tú no notas, *Botalón*,
Pitan pitan, *Así son*
La muerte y la vejez.

La Ruperta me pedía
que hiciera al fin una dieta,
que cumpliera *La receta*
como al final cumpliría.
Mire usted *Que tontería*
La muerte de una ilusión,
su madre *Doña Riñón*
irreverente refiere,
que de los hombres prefiere
el *Chiquito y barrigón*.

Cualquier hombre en mi lugar
se lanza *Ríos de trago,*
yo sin embargo le pago
con no pensar en tomar.
No me vuelvo a ilusionar
he caído en un abismo,
y todo por *Egoísmo*
Moneda de doble cara,
pero con *La vieja Sara*
ya *No pasará lo mismo*.

Zoila, Un hombre normal
Al centro de la ciudad,
Fue un amor de verdad
La cita, Yo soy mundial.
Duele, *Alas de cristal*
Voy a olvidarme de mí,
Mis ojos lloran por ti
Trigueña quiere bailar,
Nunca es tarde para amar
No puedo vivir así.

Creyendo ver *El espanto*
grité *Ábranme la puerta*,
Yo bailé con una muerta
la canción: *Amor y llanto.*
A *La cárcel* siendo un santo
me quieres ver *Entre rejas*,
bien sé que de mi te alejas
por mi *Corazón blindado*,
por haberte dedicado
La décima de las viejas.

Yo sé lo que mucho pesa
sé que **Te estás jorobando,**
No hay derecho y hasta cuando
El engaño de Teresa.
Le dije con sutileza
escucha mi **Rito esclavo,**
diciendo que **Soy el bravo**
con la **Cumbia sampuesana,**
es por culpa de **Johana**
Un clavo saca otro clavo.

Paraulatica llanera
que amarga **Desilusión,**
pensando ser **El pilón**
de una recia pilandera.
De cualquier modo, pudiera
perdonarlas algún día,
No te vayas todavía
me lo ha dicho una treintena,
sin contar a **La morena**
Nubia ni **Diana María.**

La parranda del zaguán
Calma mi melancolía,
con hechizos, brujería
igual no se escaparán.
De mí no se alejarán
Si el amor se nos termina,
Ensueño larense, Rina
Cada cabeza es un mundo,
El paciente vagabundo
y **La mona Carolina.**

Así es la vida, pariente
ahora estoy en Yaracuy,
¿De dónde sale el cocuy?
dijo **La negra decente.**
El hombre y el aguardiente
De bar en bar por amor,
Guayabo, tronco y licor
verán un **Cuerpo cobarde,**
Llanero que duerme tarde
es **El hombre bebedor.**

Un **Borracho tambaleando**
quiere **Mi flor de Capacho**,
Los deseos de un borracho
De arrastra, pero floreando.
Jarros de licor tomando
La tigra del caserío,
Como la espuma del río
Sirva trago, **El morao,**
Las chiquillas, El tragao
Te agradezco padre mío.

Hoy tengo ganas de ti
entre leyendas y espantos,
Yaracuy tierra de encantos
que en el Sorte descubrí.
Para Soledad me fui
con mi rubia **Coqueteando**,
La hija catira, **Gaiteando**
con las blancas y las negras,
y tú, **Cumbia que me alegras**
déjame seguir gozando.

Me está doliendo mirarte
La Restinga, Colegiala,
Indecisión, Tierra mala
Cómo quisiera olvidarte.
Adela, Déjame amarte
La tristeza del corral,
El caballo liberal
Gotitas de bendición,
Tictac de mi corazón
Hay fiestas en Guayabal.

La **Gloria de un parrandón**
Fruto de amor, Mi muchacho,
El ñero, Compae Nacho
una **Dulce confesión**.
Déjala ir corazón
Mis recuerdos, Me negó,
Para político no
El buzón, El huracán,
Joropo, El guayacán
y **Dime qu**é **te pasó.**

Miré la **Gaviota herida**
y vi a la muerte acercarse,
muertos no pueden llamarse
Los que mueren por la vida.
Mi virgencita querida
mi **Apure lindo**, mi Apure,
permítanme que les jure
que ayer a **Vilma Isabel**,
le prometí serle fiel
A orillas del Matiyure.

Las chicas de Chapinero
Coleadores de Miranda,
Chaflán, Viene la parranda
La mujer del zapatero.
El burro, El refranero
El Cumpleaños feliz,
El golpe de la perdiz
Sigue sonando la brisa,
La sombra de tu sonrisa
Las Mirlas, **Roberto Ruiz**.

Estimé, ya seriamente
Por culpa del celular,
mi secretaria cambiar
lo mismo que a mi asistente.
Consideré muy silente
echar atrás la parranda,
o, como mi Dios, lo manda
Parranda, ron y mujer,
solo faltaba leer
la síntesis de **Yolanda**.

El viejo del sombrerón
un **Pobre diablo** y osado,
se ha mostrado **Deskarado**
gracias a **El santo cachón**.
Yolanda mi aprobación
logró sin ser cuestionada,
Con mi cara tan lavada
firmé su admisión ayer,
no piensen que por tener
su **Boquita azucarada**.

Y por Cúcuta pasé
Enamorado de ti,
el *¿Por qué sufrir así*?
dime *María Teté*.
La respuesta no encontré
al menos no contundente,
ya sufrí lo suficiente
es *Un recuerdo que mata*,
mire usted que *Mala pata*
ir *Muriendo lentamente*.

Díganme quién no tropieza
siendo tan *Aventurero*,
Pajarillo sabanero
Perdóneme mi franqueza.
Es que *Andas en mi cabeza*
lo digo sin *Ironía*,
Mi eterna novia sufría
pero por *La chismosita*,
igual me dejó *Lupita*,
¡ay! *La mala suerte* mía.

La costeña y la cachaca
el *Festival vallenato*,
Rumores, *El toro ñato*
con *La gabana berraca.*
Rumba chonta, *La buchaca*
Mis penas, *Eres mi dueña*,
Regresa, *Ven caraqueña*
Amén, *El gallo mojado,*
Por lo que había jurado
y la *Charanga costeña*.

Con la *Cumbia caletera*
vino *La dicha del gallo,*
La chispita, *Flor de mayo*
La tirana, *La juntera*.
La paloma guarumera
Mi pecado, *Mi carrito,*
Ya pita el tren, *Cariñito*
La borrachera, *La suegra,*
Son chispitas, *Perla negra*
y *El espejo del chinito*.

Domingo por la mañana
Perdón, *Por andar de loco,*
Gitano, *Poquito a poco*
Muñeca de porcelana.
La culebra tocuyana
Te llevo, *Pancho el sabroso,*
Benitín, *El candeloso*
Mi Popayán y *Mi Cauca,*
Palmaritares de Arauca
Palmares de Calabozo.

Pretenciosa *Al fin pasó*
por *La placita* de Araira,
La catira de la Guaira
la que bien mal me pagó.
Esta vez se despidió
tal como *Estrella fugaz,*
Ya no quiero verte más
el corazón me rompiste,
la *Rosa blanca* me diste
pero *Si te vas*, *te vas.*

Sé cómo duele y espero
no le quede una secuela,
Recorriendo Venezuela
con *El último heredero.*
Corazoncito viajero
esto es una *Encrucijada,*
basta *Solo una llamada*
Manantial de corazón,
eres *Una en un millón*
Yo sin ti no valgo nada.

Un *Eterno enamorado*
de *La negra Dorotea,*
yo *Vine a sacar tarea*
y me quedé trasquilado.
Ella habría confesado
Solo tú tienes derecho,
pero me botó del lecho
como un paisano cualquiera,
sin darse por mí siquiera
algunos *Golpes de pecho.*

Esto parece una saga
y no por *Casualidad,*
una fuerte *Tempestad*
así *La traición se paga.*
En fin, haga lo que haga
con *Tu piano y mi guitarra*,
igual sacarás *La garra*
con el *Corazón de acero,*
ante el *Chubasco llanero*
Caballo, soga y chamarra.

Por nuestra separación
actúas *Soberbiamente,*
anda y *Busca un confidente*
ve *Directo al corazón.*
Así es, sin ton ni son
ella su puñal me entierra,
yo *Volveré a mi tierra*
por un *Camino lejano,*
Caminito de mi llano
Amiga, *La guerra es guerra.*

Y con el *Alma en pedazos*
Dos sentimientos lejanos,
estoy *Colgando en tus manos*
tú *Volverás a mis brazos.*
Para estrechar estos lazos
vamos *Arre corazón*,
esta será la ocasión
para irme componiendo,
yo *Te seguiré queriendo*
tú me darás *Mi tripón.*

Si se notara una seña
de que sea una triponcita,
será de piel oscurita
sin dudas *Barloventeña.*
Hoy le pido a la cigüeña
que te traiga iluminada,
Soñando con tu mirada
tenga el hechizo del cuarzo,
Ojos de Candela en marzo
una *Diosa coronada.*

A ti **Te conquistaré**
ya me siento liberado,
otra me tuvo a su lado
con **Agua de no sé qué**.
Lo que sí bien mantendré
es que no se puedan ver,
pero si llego a ceder
por separado les hablo,
otro **Encuentro con el diablo**
juro no vuelvo a tener.

Debí parar un instante
con miles compositores,
al final **los inventores**
son como el bruto diamante.
Dijeron al caminante
lo seguían apoyando,
igual iban preguntando
como ramas del saber,
cuando iría a suceder
lo que se estaba esperando.

Se sumó el gran talento
pues debían convergir,
y así poder descubrir
uno a uno cada invento.
La unidad de salvamento
portátil, interesante,
robot **arcadio** rodante
barómetro de tifón,
de hierro, La **orimulsión**
y el **bisturí de diamante**.

El **cartucho artificial**
protector seal tras una,
invención de una **vacuna**
contra la lepra mortal.
Una vacuna ideal
para salvar a millones,
entre tantas invenciones
entre muchos otros casos,
el **motriz de marcapasos**
y la **pinza de rincones**.

Un mágico **vibrador
para sordos**, ideal,
motor de aire y el cual
toma del aire el calor.
Se inventó el ahorrador
cargador con luz solar,
para un mejor cocinar
una **harina precocida**,
ereki, la conocida
lámpara del renovar.

Cirugía refractiva
el **barómetro neumático**,
con el **lápiz** emblemático
que **electrónico** se activa.
La **válvula** curativa
de Hakin por su inventor,
para el parque automotor
otro gran invento aflora,
una **válvula ahorradora**
según su diseñador.

A los otros acompaña
el **tricaóptico lente**,
por una lúcida mente
que la ciencia desentraña.
De pura fibra de caña
residuo agroindustrial,
un **papel** fenomenal
bien para la ecología,
y en el reporte veía
el **espejo trifocal**.

En la era digital
como solución alterna,
una **impresora** moderna
al fin **tridimensional**.
Un **sostenedor manual
portátil** se ha de saber,
otro invento logré ver
de unos **audífonos** tales,
sin existir dos iguales
imposibles de romper.

Con una acción pertinente
y un gran cúmulo de aciertos,
se cuentan todos *los puertos*
del Estado como un ente.
Una cuenta transcendente
y con el símil de unión,
una fortificación
se hace ladrillo a ladrillo,
el **puerto de Morrosquillo**
Palúa y **Punto Cardón**.

Sumándose en este caso
Buenaventura a los tres,
Urabá y **San Andrés**
con el puerto **El Tablazo**.
Un adelantado paso
por todo lo que se aspira,
el gran luchador se inspira
en su Virgencita santa,
Ciénaga, **Matanzas**, **Guanta**
Punta piedras, **La Guajira**.

Se incrementa la docena
puerto Maracaibo y más,
puerto Sucre, **puerto Ordaz**
el **puerto de Cartagena**.
Otra página se llena
con los puertos y por ello,
el sol nos da su destello
como un gran faro su luz,
La Guaira, **Puerto la Cruz**
Tumaco, **Puerto Cabello**.

El ánimo está ferviente
es bueno que se subsuma,
el puerto de **Amuay** se suma
sobrepasando los veinte.
Para todo buen creyente
tantos como Dios demande,
como el mentor lo comande
para alcanzar la colina,
Barranquilla, **La salina**
Santa Marta y **Bajo grande**.

Los aeropuertos también
conforman otro pilar,
Yariquíes, **Manuel Piar**
Palonegro y **El Edén**.
El indudable sostén
y para muestra un botón,
el control de la aviación
como el jinete al equino,
José Leonardo Chirino
y **Bartolomé Salom**.

La palabra se ha de honrar
la palabra verdadera,
Terminal Olaya Herrera
y otros tantos por nombrar.
Simón Bolívar, un par
distantes en geografía,
cercas por la devenía
de la cual nadie se aparta,
uno queda en Santa Marta
el segundo en Maiquetía.

Sumado a los anteriores
Nubia, **Santiago Mariño**,
con el **Antonio Nariño**
y **Los colonizadores**.
Y llegarán los albores
por ver la cuenta bien clara,
y otro contador declara
nombrándome algunos cuantos,
así **Gabriel Vargas Santos**
Vanguardia y **Jacinto Lara**.

Jorge Isaacs, **Camilo Daza**
superando la quincena,
con **Arturo Michelena**
la franja sigue, se pasa.
Se desborda, se rebasa
a cada minuto y hora,
para señalar ahora
El Cubo sin distinción,
San Luis, **Juan José Rondón**
con el **Ezequiel Zamora**.

La enumeración se edita
tras el batallar de un año,
Las Flecheras, **El Caraño**
Puerto Páez, **La Chinita**.
Cada patria ya lo grita
sin actitudes mezquinas,
con mucho menos espinas
con mucho menos rezagas,
José Tadeo Monagas
el **Nacional de Barinas**.

Seguido **Oswaldo Guevara**
Mujica y **San Rafael**,
Santo Domingo y con el
el padrón se redondeara.
Otro grupo se anotara
manteniendo la secuencia,
Los Roques en consecuencia
sigue aumentando el dosier,
Los Pozos en Santander
Guillermo León Valencia.

Todos los controladores
los auxiliares de vuelo,
elevan su vista al cielo
con muchos despachadores.
Ya todos los aviadores
haciendo un millón de escalas,
han desplegado sus alas
contando **El Alcaraván**,
sumando **Antonio Roldán**
Betancourt, **Benito Salas**.

En el gran Valledupar
Alfonso López en cuenta,
superando los cuarenta
y sin dejar de contar.
Matecaña he de acotar
La Greda, **Reyes Murillo**,
Cesar Gaviria Trujillo
El Pindo, **Villagarzón**,
con el **Bonilla Aragón**
con el **Golfo Morrosquillo**.

Que se acaben los confines
han pedido como encargo,
Alberto Lleras Camargo
Heriberto Gil Martínez.
Se agregan otros afines
para contar más de cien,
Santa Elena de Uairén
Oro Negro, **Guasdualito**,
Néstor Arias, **Palmarito**
Maripa y **Kavanayén**.

Terminal Germán Olano
como los demás se afila,
Urimán, **Santiago Vila**
en el Cauca **Juan Casiano**.
Eduardo Falla Solano
Zaraza, **Tomás Montilla**,
Gustavo Rojas Pinilla
de Boyacá y San Andrés,
con el **Juan Manuel Valdez**
y **El almirante Padilla**.

Todo en su exacta medida
aeropuerto **Cartagena**,
El Charco, **La Macarena**
Baracoa, **La Florida**.
No habrá nadie que lo impida
Elorza, **Libertador**,
un número superior
sumándose aquí y allá,
el **San Pedro de Urab**á
el **Juanchaco** y **Contador**.

Se cuentan por vez primera
miren quien lo creería,
con el **Gonzalo Mejía**
El Tomín y **La Chorrera**.
Justo que en la nueva era
muchos otros se hacen grandes,
cruzarán así los Andes
cada inspirador bizarro,
Narcisa Navas, **Pizarro**
con el **Alcides Fernández**.

Ha resultado copioso
como bien aquí reseño,
suma a **Nicolás Briceño**
tras un esfuerzo coloso.
Aeropuerto Calabozo
en pleno llano instalado,
Puerto Rico confirmado
el **Terminal Puente Aéreo**,
adjunto bajo el criterio
del aeropuerto **El Dorado**.

La descripción más crecía
Santa Ana, **Timbiquí**,
Los Pijiguaos, **Necoclí**
con el **Francisco García**.
Con ellos se contaría
por la buena cifra neta,
idea que se completa
con otros faltando poco,
Caicara del Orinoco
con el **Miguel Urdaneta**.

No habrá otra *Cosiata*
con la que otro se lucre,
Antonio José de Sucre
Icabarú, Kamarata.
De otro lugar se rescata
para el control estatal,
El Embrujo regional
Canaima aumenta el aserio,
Puerto Bolívar aéreo
de un puerto llamado igual.

La Coromoto en el llano
Paramillo en Seboruco,
Altagracia de Orituco
Andrés Salazar Marcano.
Aconseja un escribano
con elementos formales,
José Enrique González
el **Mandinga** da soporte,
aeropuerto **Cravo Norte**
con el **Morelia Rubiales**.

Jaime Ortiz y **Guaymaral**
aeropuerto **La Arrobleda**,
justicia por la vereda
con homonimia local.
Carnevalli comercial
en cuyo nombre se honró,
Rafael Núñez sumó
José Mutis, **Churuguara**,
Juan White y **Araracuara**
Aeropuerto Boconó.

Caucara, "**José María**
Córdoba" y en base antigua,
funciona el de **Tacarigua**
que a Maracay serviría.
En la ciudad El Vigía
vemos el **Juan Pablo Pérez**,
sumándose a los haberes
aquel que resta no gana,
en la gran ciudad Guayana
General Tomás de Heres.

Señala la memoranda
Higuerote, **Tres de mayo**,
el segundo en Putumayo
el primero de Miranda.
Y, como al fin se demanda
que la historia se rehaga,
desde ahora se propaga
la noticia en alta voz,
Santiago Pérez Quiroz
con el **Gustavo Artunduaga**.

De talla internacional
cuenta **Josefa Camejo,**
y cerca de Sincelejo
Las Brujas de Corozal.
Se conoce el terminal
Los Garzones que figura,
previniendo la futura
emergencia que afrontar,
con el **Gerardo Tovar**
López de Buenaventura.

La lucha va encaminada
sin cansarse como el lobo,
el **Alfredo Vásquez Cobo**
del Amazonas la entrada.
Cumaribo en el Vichada
y de corte nacional,
en puro suelo oriental
José Francisco Bermúdez,
todos en sus plenitudes
para la suma integral.

Se escuchará la proclama
del orador elocuente,
**Aeropuerto Juan Vicente
Gómez**, el **Hacaritama**.
Bajo el mismo panorama
Perales en Ibagué,
el **Santa Bárbara de
Barinas** se anotará,
Edmundo Barrios que está
ubicado en San Tomé.

Y para que se compare
este nutrido inventario,
el reporte aeroportuario
con nueve más se cerrare.
Con el **Cacique Arañare**
en un mapa al sur extremo,
el exigente baremo
base del gran patrimonio,
**Aeropuerto José Antonio
Anzoátegui** y **Tumeremo**.

Un punto por terminar
en Ocaña el **Aguas claras**,
todo por lo cual en aras
de la gesta concretar.
Por fin, para ya cerrar
en los puntos generales,
muchas notas gananciales
Cesar Gaviria y **Otú**,
Fabio León en Mitú
el de **Anaco** y **Pedernales**.

Así los que trabajaron
en otro orden de ideas,
realizaron sus tareas
y *Los puentes* agruparon:
El **Pumarejo** apuntaron
Juanambú, **Jenny Garzón**,
puente **La Federación**
Concordia, **Humilladero**,
El viaducto balseadero
con el **Reconciliación**.

Samariapo, **Boyacá**
Guátira, puente **Guamúez**,
el **Canoas**, el **Bambúes**
Cinaruco, **Oicatá**.
La Perdiz en Caquetá
La Macanilla, **El Pao**,
Yurubí y **Niquitao**
el **Carlos Lleras Restrepo**,
La Hormiga, **Charte**, **Guayepo**
Macuto y el puente **Aldao**.

Con los dos pueblos aliados
Los Esclavos, confluyente,
el **Colgante de Occidente**
Nubia, **Los Enamorados**.
Miranda, **Los Colorados**
Chirajara, el **Peldar**,
es mi deber mencionar
para conseguir la meta,
el **Rafael Urdaneta**
Yuruani, **El Gran Manglar**.

Ovejas, **Lauro Carrillo**
puente **Río pescador**,
Tienditas, **Libertador**
Puente **Gaviria Trujillo**.
Enrique Santos Castillo
Veracruz, **Paso Ganado**
el **Anauco** y **El Pintado**
Ortiz, **Los Libertadores**,
Angostura, **Los Amores**
Mocoa, **Puerto Encantado**.

217

El **Viaducto provincial**
La novena, ida y vuelta,
Simón Bolívar del Delta
el otro internacional.
Canoas y el **Puente Vial**
Los Fundadores, **El Caura**,
Golondrinas, el **Hisgaura**
puente **Chama** en El Vigía,
el **Echeverri**, **Mejía**
Rumichaca y **Madre Laura**.

Los Leones, **Tocuyito**
alcanzando la mitad,
Guayaquil, **La Libertad**
Carlos Holguín, **El Riito**.
Mariano Ospina, **Juanchito**
La Variante en Ibagué,
puente **Francisco José**
de Paula Santander con
Huequito Uno, **La Unión**
con el puente **Yacaré**.

El Pepino y otros más
se habrán de reconocer,
el **Fernando Peñalver**
Piendamó, **San Nicolás**.
José A. Páez, **San Blas**
una suma venturosa,
Santa Ana en Santa Rosa
Vizcaya, puente **Valencia**,
Combeima, **López Florencia**
Cajamarca y **La Arenosa**.

Con quince terminaría
hechos ya muchos controles,
puente de **Los Españoles**
Puente del Común en Chía,
El Asilo en Montería
Guzmán Blanco en Manzanares,
Gómez Rubio, mismos lares
Doménico Parma está,
cruzando aquel Chinchiná
de estos bonitos lugares.

Una labor que muestrea
cual caso reporteril,
Rojas Pinilla en San Gil
con el **Nowen** se aparea.
Cofre, **Gaviria Correa**
El Ferry puente atracción,
Colonial de la Asunción
el **Orinoquia** imponente,
Antonio Reina en oriente
y **Navarrete** en Falcón.

María Nieves y al fin
los puentes se terminaron,
las canciones retomaron
con un canto *A Medellín*.
En otra ciudad jardín
cantaron *Los gonzalitos*,
unos pasajes bonitos
y en mi *Tierra mirandina*,
con una garganta fina
cantaba *El tira besitos*.

Casi *Me deja el avión*
por no cruzar a la pista,
por un *Amigo turista*
que cargaba *El garrafón*.
Por *Aniceto Rondón*
y *El tinajón de mi abuela*,
pero cantando a capela
pasaba *El viejo Miguel,*
Mis muchachitas y él
con el *Violín de Canela*.

Estando ya en alto vuelo
pasé un amargo trago,
Una cadena en el lago
hacían por aquel duelo.
No más quedaba el consuelo
de la canción de protesta,
Nuestra gaita que detesta
tanta inercia cuestionada,
Maracaibo marginada
por la desidia funesta.

La **Novia del lago** alerta
por ella **Venga un abrazo**,
Gaiteros, **El cañonazo**
y **La capilla está abierta**.
Maracaibera despierta
que el Zulia bien lo rechaza,
Son mis deseos que abraza
punzante **La pica pica**,
Gaita zuliana repica
Viejo año qué te pasa.

Por **El manto de María**
por la **Gaita de Molero**,
por el buen **Tiempo pascuero**
Reina morena, mi guía.
La **Gaita a Santa Lucía**
Sentir zuliano señores,
con **El vendedor de flores**
yo me voy a pregonar,
porque **Mi vida es cantar**
junto a **Los patinadores**.

Llanero de estampa fina
Paro de mi corazón,
Hasta ayer, **Resignación**
Cosas del tiempo, **Marina**.
El vicio no me domina
tomando **Bajo el palmar**,
que soy, voy a recalcar
Esta noche a la morena:
Palo de madera buena
Para ponerme a llorar.

Un buen cupón me he ganado
con ella: **La disgustada**,
con la **Sirena encantada**
sentada justo a mi lado.
Quedé de nuevo asombrado
Palomita volantona,
me movió cada neurona
y quién la cuenta no saca,
ya no era **Alicia la flaca**
por sorpresa **La piernona**.

Eres un *Mango con sal*
me dijo de cualquier modo,
Me das y me quitas todo
sin que parezca casual.
Con *Un canto celestial*
cruzo *Barreras de olvido*,
Amor malagradecido
desde aquel día hasta hoy,
como un *Andariego* estoy
y como *El cóndor herido*.

Sabes *Te vengo a cantar*
A pasarla bien aquí,
otra *Navidad sin ti*
no la puedo imaginar.
Por no querer perdonar
mira bien lo que perdiste,
Baracunátana fuiste
por dejarme aquí varado,
vergüenza que hayas pasado
tu *Navidad negra* y triste.

La luna maracaibera
me alumbró con su luz pura,
denunciando la amargura
con mi *Soberbia gaitera*.
Bien sabe *La tuchinera*
cómo fue mi *Pobre infancia*,
pero sin darle importancia
como *Le grité al viento*,
nada vale *Mi lamento*
con los *Celos y distancia*.

Después del aterrizaje
la joven me conquistó,
y fue que me confesó
haber preparado el viaje.
Que guardaba en su equipaje
todos los temas impresos,
subrayados entre esos
por decir a troche y moche,
Duerme conmigo esta noche
y *Pa' que me des tus besos*.

Aliviada la fatiga
y luego de descender,
me dispuse a resolver
por entero aquella intriga.
¿Qué más quiere que le diga?
Si es un **Amor bogotano**,
la sonrisa del fulano
le llegó de oreja a oreja,
con toda aquella bandeja
puesta y dispuesta a la mano.

Hoy mismo voy a buscarte
por la tarde **Fidelina**,
para que **Jaime Molina**
al fin pueda dibujarte.
Y si **Reverón** comparte
la idea **Garza morena**,
podrás posar **En la arena**
sin que nadie te censure,
A orillas de río Apure
A orillas del Magdalena.

Siendo **El caporal del hato**
nos fuimos **Junto al Jagüey**,
el **Romance del caney**
como buen **Llanero nato**.
La celosa les relato
dijo a **Doña Josefina**,
comentaba a **Virgelina**
en **Cuchicheo** con ellas,
que **Solo con las estrellas**
me dejó **Rosa Angelina**.

Inspiración, arrebato
dice **Café y petróleo**,
el pintor le hizo el óleo
en **Blanco y negro** el retrato.
Pasó por **Mi viejo hato**
Navegando sin destino,
Pajarillo golondrino
sin pena nos dijo adiós,
con **La foto de los dos**
y **A la vera del camino**.

Tú eres *Indescriptible*
Todo daría por ti,
vente *No dudes de mí*
Mágico, Amor sensible.
Es mejor, es preferible
no dudes *Voy a esperarte*,
Te esperaré para darte
al llegar *Beso tras beso*,
Te amo tanto lo confieso
Yo no he podido olvidarte.

Mania'o con una cabuya
aquí *Me dejaste solo*,
te fuiste de polo a polo
Te saliste con la tuya.
Dios quiera no se diluya
Mi querer tras *Tu partida*,
tengo *La llama encendida*
así *Le canto a mi gente*,
Vente, Libera tu mente
y *Devuélveme la vida*.

Un novio se solicita
Lloré leyendo tu carta,
y de un salto a Nueva Esparta
llegué por la mañanita.
Miré la *Mujer marchita*
hermosa *Mariquiteña*,
comparando a la porteña
con la *Pobre Guillermina*,
Me voy a sacar la espina
con *Gaita margariteña*.

Siento orgullo por tener
toda el *Alma Guaiquerí*,
yo *Cuánto entregué por ti*
mucho más si es menester.
No te voy a complacer
decidir con ligereza,
hazme además la promesa
si deseas conversar,
que no vas a colocar
Las cartas sobre la mesa.

Cómo vamos a quedar
Ya no podré ser tu amante,
ya no serás *El calmante*
para mi pena aliviar.
Insistía al preguntar
de tal o cuáles quereres,
De qué tamaño me quieres
Vamos a dejarlo así,
y tranquilo respondí
Los hombres pa las mujeres.

Adelante encontraré
El sentido de mi vida,
ella se sentía abatida
y al fin la recuperé.
Sin dudas la invitaré
a mi casa en *Nochebuena,*
para decirle en la cena
Yo nací para quererte,
me alegra *Por no perderte*
Ven a mis brazos morena.

Me pidió sus *Tres canciones*
viendo que estaba inspirado,
y *Quién no se ha enamorado*
teniendo mil *Ilusiones*.
Bajando ya las tensiones
sentí sería capaz,
de no engañarla jamás
admitiendo aquel desliz,
Soy pobre pero feliz
Corazón no llores más.

Recuperó su silueta
recuperé mi semblante,
me salvé de su desplante
mas no de *La cantaleta*.
Al mes llegamos al Meta
para seguir trabajando,
y porque estaban gestando
en mí contra desafueros,
los mismos politiqueros
llevados de contrabando.

Es que **Flora y Ceferino**
me alientan con mucha fe,
con ellos activaré
La misión de un Florentino.
Me ha dicho el **Pastor divino**
que ha escuchado **Desde lejos**,
todos los turbios consejos
de políticos de antaño,
y mirar como un rebaño
La marcha de los pendejos.

Una promesa tras una
le hacían a Pedro Pablo,
los **Testaferros del diablo**
solo en busca de fortuna.
Se miran en la tribuna
confundiendo al inocente,
siendo todos **Mala gente**
Qué problema tan berraco,
la avaricia rompe el saco
Consejo pa' un presidente.

¡Liberen a Prometeo!
de repente se escuchó
a nadie se le creyó
por **El hambre del liceo**.
Canción protesta que leo
algunos las han de usar,
para al fin manipular
la más noble democracia,
buscando el pobre en desgracia
Una flor para mascar.

Uno que otro oportunista
para sí las ha tomado,
y con ellas ocultado
su carácter de fascista.
Ya lo ha dicho un vanguardista
Yo no sé filosofar,
y **Exigimos** al cantar
por el honor de esta unión,
que los **Techos de cartón**
se puedan al fin cambiar.

Los caminos de la vida
la *Blanquísima gaviota*,
un entusiasmo que brota
y que contagia enseguida.
Diré a mi gente unida
hay *Una sola bandera*,
igual que *La limosnera*
igual que *Décimo grado*,
lavando su remendado
Juanita la lavandera.

Adiós en dolor mayor
Mi pueblo me hace cantar,
Viento, No basta rezar
Mi país, Vino y amor.
La caña clara y tambor
Mamá Pancha y su revés,
Recordando mi niñez
creo en *Ni flores ni peces,*
superando los reveses
yo *Quiero amarte otra vez.*

Mi joropo legendario
Florearon los guarataros,
criollo cual los tarataros
y el *Muchacho solitario*.
Y para ampliar el glosario
traje al *Compae Chipuco*,
que *Viva el señor bambuco*
Nada valgo sin tu amor,
Para ti mi coleador,
Despechao en un conuco.

Joropo es lo que yo canto
dijo una doña a mi encuentro,
Caminos de Apure adentro
Camino verde, *Mastranto.*
Decía que no era un santo
no más un *Ave de paso,*
lanzando luego *El trancazo*
Del timbo al tambo es su vida,
contestándole enseguida
bien vivida, por si acaso.

Este es mi llano cuñao
No me dejes esperando,
Oye cuñao cantando
bonito el *Setoconao*.
Siendo yo *El gabán resteao*
le dije frente a mi madre,
delante de mi comadre
no se vuelva a enamorar,
menos se vaya a casar
Hágame caso, compadre.

El despecho del quesero
recordando el viejo tema,
lo mismo que aquel problema
presentado en *El tranquero*.
¡Lo llaman *El parrandero*!
gritaba una *Provinciana*,
creyendo la *Puritana*
me pudiera convencer,
pensando un polluelo ver
de *El gabán y la gabana*.

En un cartelón pondré
A quien pueda interesar,
tres días para probar
ya luego lo bajaré.
El hato donde me crié
como *El gabán legendario*,
donde caminaba a diario
del palenque a la quesera,
y probé por vez primera
los besos de mi *Rosario*.

Eres tú, *Mujer llanera*
La emperatriz de mi vida,
pero en mi pecho se anida
el clamor de hacer espera.
Yo soltero, tu soltera
y esperamos el momento,
pero al verme *Como el viento*
Hombre libre con *Las Juanas,*
llegaron *Las cinco hermanas*
apoyando el casamiento.

Las tres Marías, ¡qué día!
ha llegado *María Eugenia,*
María Claudia congenia
con *Angélica María.*
La suegra igual recibía
de cuarta a *La negra Atilia,*
formaron una vigilia
por verme en *Cuatro paredes,*
caí mansito en sus redes
de quinta *Carmen Cecilia.*

Una por demás se enoja
por la *Mujer piriteña,*
igual mi *Linda abrileña*
al romper la paradoja.
Resultó *La pelirroja*
la del terminante sí,
serio me comprometí
al fin con *Amalia Rosa,*
la intrigante, *La pecosa*
de cabello carmesí.

A mi Bogotá le he dado
con *La canción de Caracas,*
unas sabrosas hallacas
buñuelos y pavo asado.
Otro terrenito arado
como dice *El jornalero,*
He vuelto a mi patiadero
Mi llano se puso triste,
No lloro porque te fuiste
Viejo laurel sabanero.

Tiplecito bambuquero
voy construyendo una troja,
sin negra, sin pelirroja
El destino de un arriero.
Puse de nuevo el letrero
y al regresar del mercao,
me hablaron sobre el arao
me hablaron de la tiendita,
cantando *La más bonita*
Toitico bien empacao.

Me voy al monte con ella
al fin se acabó la espera,
Mi soga cachilapera
me llevaré con *La bella*.
Yo *Quiero que seas mi estrella*
De nuevo en el caserío,
y en *La casita del río*
con *La catira* a mi lado,
lo dije todo estirado
ya *Todo este campo es mío*.

Y fue por *Un viejo amor*
que encontré *Mi perdición*,
y *Vine a pedir perdón*
sin *Soberbia*, *Sin rencor*.
Sé que fue *Por un error*
que yo anduve *Mujeriando*,
Anoche estuve pensando
y saben que *No es mentira*,
que yo *Por esa catira*
mejor me estoy comportando.

Catira *Cómo olvidar*
que *Hoy me he vuelto a reír*,
si *Recordar es vivir*
lo mejor es recordar.
Me volví a enamorar
con tu canto me embrujé,
pero ten presente que
ando un poquito abrumado,
Un poquito acongojado
por un *Amor que se fue*.

Bambuco, *Que se repita*
aquel *Porro sabanero*,
en *La quebrada* te espero
quiero verte rubiecita.
Viva la *Cumbia bonita*
Ibagué tradicional,
Vieja hacienda del Cedral
Amo a los llanos ardientes,
los *Amantes inocentes*
Mi viejo llano inmortal.

El loco, *Cumbia sabrosa*
Semana Santa en Achaguas,
ríos con intensas aguas
muchachas *Color de rosa*.
Anda, *Vuela mariposa*
con *Alas de mil colores*,
A paso de vencedores
en el *Carnaval llanero,*
y yo *Cuando quieras quiero*
Muchacha de mis amores.

Pa que te acuerdes de mí
Cada día te amo más,
Volver, Te sorprenderás
Toma lo que te ofrecí.
Otro amor, Ayer te vi
Coleadora sin rival,
Declaración especial
Jacinta, *Por ti mujer,*
Contigo no he de volver
La caída de un cristal.

Tú no me has dicho que no
y mucho menos que sí,
Otro diciembre sin ti
no vuelvo a pasarlo yo.
Fue que alguien me advirtió
Córrela vete volando,
Corre caballito andando
que *Isabel Martínez* tiene,
un acuerdo con *Irene*
y andan por ti preguntando.

Y qué tendrá *Carmencita*
paseando *El mismo camino,*
será como ya imagino
que baila la señorita.
Diosa morena es agüita
de panela como aquella,
tiene porte de doncella
por su amor me descontrolo,
El rancho se quedó solo
me volví *Loco por ella*.

Criollísima cada una
tal como *Hilario el mendigo,*
Dos cosas, *Soñar contigo*
Negrita, *Fulgida luna.*
Son mentiras, A la una
Hoja en blanco, Que descaro,
Tonada del desamparo
Por un adiós, *El guarapo,*
Me dan la fama de guapo
mi *Viejo Capanaparo.*

Aquel rosal marchitado
junto al potro se murió,
y el riachuelo se secó
al ver que no has regresado.
Sabor amargo guardado
por el áspero sufrir,
la vida habrá de seguir
pasando al bufón gracioso,
El saltimbanqui dichoso
que canta y hace reír.

Se peca y hay que decirlo
por obra y por omisión,
yo «salvo la tentación
todo logro resistirlo».
Es fácil de percibirlo
es del campo terrenal,
pecar no es nada banal
Pecando sé que he vivido,
Acércate si has oído
el *Reto con un Cristal.*

Alcaraván del camino
el más grande descontento,
y aquel reconocimiento
De un ahijado a un padrino.
La puerca, Oso frontino
Conteste maestro arpista,
Dime quién con *El artista*
Capanaparo y Guachara,
con *El tigre de Payara*
El metiche, La modista.

Mi canto no tiene fin
ni mis versos, ¡aleluya!,
Por una caricia tuya
canta el *Pájaro tilín*.
En el mar, *Martín Martín*
Los amores de Juanita,
¡cante sabroso compita!
que *Hay toros en San Jacinto*,
con un cuatro y un requinto
el joropo *Guayabita*.

El campesino acostumbra
cargar velas al viajar,
para poderse alumbrar
para no andar en *Penumbra*.
Cantando *El cocuy que alumbra*
Alumbra el zaguán y pasa,
Biografía de mi raza
que huele a *Los mamonales*,
y en medio de los rosales
se ve *La flor de Zaraza*.

La costa caribe entera
recorreré de algún modo,
para descubrir de todo
lo que el vallenato diera.
Con merengue o tamborera
lo que es, y que ha de dar,
Guajira quiera cantar
la puya, son o paseo,
al cruzar, como deseo
Magdalena y el Cesar.

Falso amor, No más dudad
Candita, *El pobre Migue*,
Claudia, *Ella me persigue*
La hora de la verdad.
Barranquilla es tu ciudad
Ruego, Me vas a olvidar,
Siempre te voy a esperar
Mirian, Sigue tu camino,
Navidad, El poncho andino
No debemos terminar.

Mi *Muchacha encantadora*
Florencia de mis amores,
en la *Tierra de cantores*
te veré, *Carmen Teodora*.
Sé que serás mi mentora
en el estudio de aquí,
mucho trecho recorrí
Así te quiero querer,
por mis suelos recorrer
y estar *Más cerca de ti*.

Así *Mi novia querida*
me guardó cada maleta,
y casi que me decreta
una *Entrada sin salida*.
Cariñito de mi vida
Nocturno a Los Teques, *Luna*,
Te quiero como a ninguna
y es que *De Los Teques soy*,
y *Por eso aquí estoy*
Buena suerte, *Por fortuna*.

Con la *Luz del alma mía*
y una *Barranquillerita*,
me voy a la *Parrandita*
a cumplir *Mi profecía*.
Un *Reto de amor* quería
Quiérela, *Mi diosa humana*,
El amor de mi sabana
Despedida de verano,
el *Atardecer sinuano*
Los amores de Juliana.

De un diamante a un rubí
Mary, *Me tiraste al mar*,
No te puedo perdonar
Naranjas, *Lejos de ti*.
Volvamos, *Regresa a mí*
con *No s*é *pedir perdón*,
Decile, *Simulación*
Déjame seguir contigo,
Lloraré, *Mi gran amigo*
Vendaval, *El escorpión*.

Un guajiro ha llegado
para alegrar *El fiestón,*
arrancando *El acordeón*
con las *Penas de un soldado*.
En septiembre ya he pensado
algo *Pa' mis seguidores,*
con los improvisadores
El gringo y el montañero,
Vallenato parrandero
y *Pa' fuera los dolores.*

Lucila, *C*ómo te quiero
Quién fue, *Una noche más,*
Qué importa si tú te vas
con *Al final del sendero.*
El *Caminante y lucero*
Desde que te conocí,
Ven y dime, *Ven a mí*
Adiós, *amor, Soy canción,*
Cuando llora el corazón
y *Quiero saber de ti*.

El público entusiasmado
Esperándote cantaba,
yo paciente te esperaba
como tú me has esperado.
Sigo *Firme enamorado*
Él vive, *No te he perdido,*
El cojo, *Río crecido*
El golpe, *A dónde vas,*
Una serenata más
Qué será, *El mal herido.*

No debí enamorarme
para sacarme *La espina,*
de la otra *Campesina*
y *Tendré que resignarme*.
Yo no podría olvidarme
de mi fogosa Guajira,
por ellas quién no delira
mucho tiempo la he buscado,
Alma de hierro he encontrado
todo *Parece mentira*.

Cómo quieres que te olvide
si *Espero tanto de ti,*
*Francisca, Vives en m*í
pero usted no se decide.
Que esta canción convalide
Lo que debemos vivir,
Te lo tengo que decir
con *Mi verdadero amor,*
Ven tú, Dame tu calor
ya *No me dejes morir*.

Cuando regreses al mar
Solo con una palabra,
logra que mi pecho se abra
di *Que me puedes amar*.
Si no *Enséñame a olvidar*
con *El eco de tu adiós*,
yo diré: *Por qué mi Dios*
unas *Te sorprenderán*,
y ya dirá *El charlatán*
fue *La que te hizo el dos*.

Yo cada tema pedía
por *Los recuerdos de ella*,
pedí la *Cumbia a Mireya*
y pedí *Ceniza fría*.
Al ver que no aparecía
me dijo aquel director,
que por ser trasnochador
fue que *Volví a fallar,*
y me hicieron escuchar
Por qué me niegas tu amor.

Si está *Otro en tu lugar*
debe haber una razón,
ofrécele una canción
que bien te pueda inspirar.
Con *Difícil de igualar*
pudiste haber comenzado,
Ojos verdes no ha llegado
quizás es *Causa perdida*,
pruébalo con *Esta vida*
y *Devuelvo mi pecado*.

Parrandita, parrandón
Tanto amor, *Solo canciones*,
La plata, *Voz de acordeones*
y *Por imaginación*.
Playa blanca, *Mi acordeón*
Playa grande, *La gordita*,
El chambú, *La pajarita*
Chatica linda, *La tanga*,
El aguijón y *Taganga*
La chismosa, *La llamita*.

Para continuar la gira
luego del gran compartir,
nos quisimos despedir
con un *Grito en la Guajira*.
Por sus muchachas suspira
mi aliento siquiera al verlas,
en mi pecho por quererlas
el vallenato se enclava,
Mi Guajira es casta brava
Riohacha portal de perlas.

Prender fuego y esperar
Amor de mi juventud,
fíjate *Qué ingratitud*
pero *Me vas a extrañar*.
He regresado al Cesar
como el turista lo sueña,
una joven lugareña
me ha despertado un suspiro,
y en su carita yo miro
toda la *Alegría costeña*.

Que la faena prosiga
tú conmigo contarás,
no es *Una aventura más*
para que el amor consiga.
Sugerencia que a la amiga
le respondí firmemente,
Guayabo y cantina al frente
La hija de mi vecino,
algunas copas de vino
y una *Propuesta indecente*.

La gringa, *La miradita*
es por *Mi color moreno.*
Mi novia perdió terreno
por aquella *Princesita.*
Por sacarse *La espinita*
Mi novia de Naiguatá,
me cantó *Quién Perderá*
Llegó la reina, *Mayores,*
yo *El papá de los amores*
y *Sigo siendo el papá.*

Yo no me sentí perdido
ni miré mala intención,
ya con tanta ocupación
tengo el tiempo comprimido.
Pero en este recorrido
abrazando la hermandad,
quiero *De verdad, verdad*
una novia y enfatizo,
que yo solo garantizo
amor y fidelidad.

Bonita canción *Valencia*
Parrandas inolvidables,
con tus personas amables
Tú marcas la diferencia.
Malo, *Cien años de ausencia*
Como siempre, *Es dolor*,
Me dije, *Canto al amor*
así pues*: Y nada más*,
Tristeza, *Si tú no estás*
y *Hasta cuándo señor.*

La loca, *La llamadita*
Imbatible, *Mi rival*,
Vete, *Será el final*
Pero dime, *La espumita.*
Esa, *Bonita bonita*
Nunca comprendí tu amor,
Semblanza, *El perdedor*
y *Como aquel pajarito*,
Junto a mí, *Lo más bonito*
con *El gabán coleador.*

Cierto que cada ayudante
andaba de arriba abajo,
con la inspiración que trajo
este musical flamante.
Siendo cada cual constante
me trajeron de regreso:
La bacana, Te confieso
Deseos, *Diciembre azul*,
Un hombre más, Estambul
De que te beso te beso.

Ya con un antecedente
con una lo confirmó,
el *Gallo pelón* pidió
y enseguida *El más valiente.*
El gallo fino pendiente
no le saliera una arisca,
cantaron *Juana Francisca*
seguida *La invitación*,
y siendo *El niño llorón*
la madre que lo pellizca.

Unas puntas que salían
otras que se regresaban,
y entre todos se apuntaban
muchos que les convenían.
En la búsqueda seguían
como nadie imaginó,
mi amiga nos recordó
aquel *Amor sin fronteras*,
igual *Si tú estuvieras*
con *El culpable soy yo*.

Igual que tú, *Sin perdón*
Lloré, *Me tocó perderte*,
El adiós, *Hay que ser fuerte*
Lo busqué, *Simulación*.
Noticias, *Por qué razón*
Asómate a la ventana,
La millonaria, *Gitana*
Tú pasaste por aquí,
Cada beso que te di
Con el alma bogotana.

Ay, *cosita linda* mía
Cuando casi te olvidaba,
he soñado que me amaba
y que en mis brazos dormía.
Soñaba que te tenía
pero era un sueño sombrío,
porque con un mujerío
te perdí *Mi bella flor*,
y *Por jugar al amor*
supe *Como quema el frío.*

Vámonos, Yo puedo hacer
El sombrerito, Reproche,
Perlas, Seres de la noche
y *Te lo dije mujer.*
Mi pregón, Sueños de ayer
Solo yo, Linda caleña,
una *Quirpa guatireña*
Para ti Valledupar,
Sobre el caballo del mar
con la *Fiesta cojedeña.*

Con otra prueba de unión
en un vecino lugar,
el timón pude tomar
Despertar de un acordeón.
Ya *Cállate, corazón*
No puedo vivir sin ti,
jurando la conmoví
y jurando le diría,
tu pena y la pena mía
Negras penas para mí.

Marily, Vete de mí
Las razones del amor,
Amor, La última flor
Mi presidio, Junto a ti.
No voy más, Mejor así
Contrapunteo por la u,
Ya se va, Lindo Tolú
Joropo siempre es joropo,
El cable, El topo topo
y *Solo me faltas tú.*

Busco en la nueva auxiliar
aquella que bien me siga,
la **Compañera y amiga**
que vaya a cualquier lugar.
Ya **Me toca regresar**
pago **El precio de un error**,
por la **Cumbia en do menor**
por la **Cumbia zambranera**,
pero nunca porque fuera
todo un **Manantial de amor**.

Créeme, **Ya me enteré**
Vamos a cambiar, Luzmila,
Mi dicha, Porro mochila
Arrayanes, Te amaré.
La carta que te mandé
Locamente enamorado,
Habíamos terminado
Por el resto de mi vida,
Como ayer, La prohibida
Cuando vuelvas a mi lado.

Son estas **Playas marinas**
Paisaje de sol querido,
paisajes que nunca olvido
de lumbres arenas finas.
Toditas son las vitrinas
que a Magdalena han mostrado,
en su mar yo me he bañado
me deslumbró cada playa,
en cada vieja muralla
un historial resguardado.

Oímos **Amaneciendo**
detrás **Que por qué te quiero**,
luego **Siempre parrandero**
seguida **Te estoy queriendo**.
Muchas gracias, No comprendo
Ausencia sentimental,
con **Al son del carnaval**
No es lo mismo, El verano,
Morelia, El guatecano
Safari, Palmarital.

El alma de un acordeón
No llores, Casi un hechizo,
Si el cielo es un paraíso
Te aconsejé corazón.
Quién fue, Mi primer millón
Morenita del Sinú,
El pescador de Barú
Amor de tierna mirada,
Caballo, toro y majada
La seña, Qué tienes tú.

Carrao carrao, Catalina
La reina de Cartagena,
Una y otra vez, Ajena
Años, Cumbia sol marina.
La llamada clandestina
Una casa de soltero,
Tu rey soy yo, Lo que quiero
El glu glu, Mi confesión,
Llanera de corazón
El auténtico llanero.

Oye, Sufre corazón
No me quiero enamorar,
Te llevaré a mi lugar
Mi pataruco campeón.
Llano mar, El comelón
La cuchilla, El cochero,
Trabajador petrolero
Nadie es eterno en el mundo,
La dama y el vagabundo
Horizonte mensajero.

Promesas de cumbiambera
Mi barquito marinero,
el *Cangrejito playero*
Dispersos, Nube viajera.
Quisiera y no quisiera
Cómo no voy a llorar,
A solas, Déjame entrar
Popayán de mis amores,
Oye mi cumbia, Fulgores
Lo sé, Si me vas a amar.

Un domingo en Puerto Morro
con mi amor de *Montería*,
Amor de la vida mía
con *Los sabores del porro*.
Y siendo yo *El viejo zorro*
Amanda me ha de esperar,
el río quiero cruzar
pues ha dicho mucha gente,
que se acerca *La creciente*
La creciente del Cesar.

Yo soy un porro decía
La cumbia y *El vallenato*,
Yo también soy candidato
el amigo repetía.
Bonita es la vida mía
Las tapas, El toro Miura,
*C*ómo extraño mi llanura
*C*ómo te extraño y te *Quiero*,
Primaveral, Diez de enero
buena *Mi buenaventura*.

Todo depende de ti
Ay, *hombe, Las penas mías*,
Viejita linda, Tres días
y *Lo que quieras de mí*.
No hay cielo, Di que sí
Llanera, Yo soy el llano,
El premio, El araucano
Mi viejo pueblo llanero,
y un *Catorce de febrero*
En homenaje a mi hermano.

Del Yopal a Boyacá
a Tunja con precisión,
con mucha disposición
de encontrarla por allá.
La negra caliente está
de mis *Anhelos* cerquita,
a mi *Linda caleñita*
preguntaría al llegar:
¿a dónde quiere viajar
Distinguida señorita?

Nenita chula, Te sigo
A pasear, El bachiller,
A que te dejas querer
La copla nació conmigo.
Aunque lo niegues, Contigo
Remanso, Sentir llanero,
Pajarito platanero
Déjame acercarme a ti,
No sabes, Llegaste a mí
Eres, Como yo te quiero.

Visitando Guasdualito
Alegre voy, El marciano,
el *Bocachico sinuano*
La canción que necesito.
Tu cantante favorito
Tres lágrimas, Es verdad,
Te veo venir soledad
El sitio, Ya me contaron,
Tus ojos me lastimaron
Tu amor para Navidad.

Quien te quiere ya se va
como un loco enamorado,
pudiendo haber disfrutado
una *Cumbia en Bogotá.*
Bolívar me esperará
con puertas de par en par,
y así poder escuchar
en una *Fiesta en Turbaco,*
Los viejos, Quítate el saco
y *Necesito llorar.*

Hay una celebración
saben que Antioquia le canta,
a Colombia y se agiganta
en cada presentación.
Trata la divulgación
de la canción colombiana,
No lo dejes pa mañana
le dije *Vuelve conmigo,*
es que *Quiero estar contigo*
y *De nuevo en tu ventana.*

Qué risa, Mujer conforme
festival prometedor,
los *Recuerdos de un amor*
La niña del uniforme.
Por ella este mimo enorme
Mi carta ya está jugada,
siempre *La llevo tatuada*
es que un amor no se olvida,
es *La mitad de mi vida*
Ojito en la madrugada.

A Caracas ha venido
el mismísimo *Ruperto,*
sin tener *Camino abierto*
indefenso, desvalido.
Yo con *Mil versos de olvido*
sigo *Tomando y tomando,*
Amanecí parrandeando
Ron pa todo el mundo había,
La distancia lo exigía
No quiero seguir rogando.

Linda Barinas llegué
Arauca me vio llorar,
La clave para olvidar
no se si conseguiré.
A mi negra no olvidé
sé que le debo escribir,
la razón de mi existir
siendo mi amada *Eloina,*
De mi propia raza fina
*Para qu*é *voy a mentir*.

Las campanas del olvido
Vamos a bailar, *Te amé*,
Cuando declaro con fe
Ándate y *No era el nido*.
Mi bello amor escondido
Tres danzas, *El sabrosito*,
Buen viaje, El foforito
la *Mañanita de invierno,*
la *Canción de amor eterno*
Por las buenas, Acidito.

Mujer **Déjate querer**
y deja tanta **Amargura**,
Tu vestido y mi llanura
comparados con tu ser.
Ven, que **Te hice mujer**
pero en fin **La cabellona**,
por ser **El rey sin corona**
El negrito satanás,
Ya no te buscaré más
El fundo tiene patrona.

Otro consuelo no tuve
que salir de su lindero,
La pena del becerrero
que, como él, yo contuve.
Sereno así me mantuve
siendo yo **El enamorao**,
por la **Woman del Callao**
Guayabo déjeme quieto,
mantén mi **Amor en secreto**
corazón **Pintiparao**.

Mi última golondrina
Dolores, **Tengo un dolor**,
Doble dosis de licor
La culebra, Guillermina.
Cuando un amor se termina
Amor es, No te he perdido,
así **El gabán herido**
No me vayas a olvidar,
con **No me dejes de amar**
El juego del escondido.

Sofocado aquel arriero
Con la soga arrastra andaba,
aquel que bien le cantaba
Muchacha cuanto te quiero.
Tonada del cabestrero
El alazán y el lebruno,
Más criollo que yo ninguno
La cazuela, Convencido,
ya me iré **Buscando el nido**
No hay como la mama de uno.

Mil leguas fui transitando
para una novia encontrar,
para poder mitigar
la sed que me iba matando.
Así buscando y buscando
Joselito Carnaval,
en Sucre no me va mal
ando *Loco enamorado*,
contento y entusiasmado
con mi *Amor en Corozal*.

Me iré contigo morena
a Santiago de Tolú,
yo *No sé qué tienes tú*
que me calmas cada pena.
Tu amor es una colmena
pura miel en cada beso,
A rienda suelta y por eso
tus penas las mías son,
hoy muero en esta prisión
tus ojos me tienen preso.

El *Amor enguayabao*
El ángel, *Sabor añejo,*
Obsesión, *El año viejo*
El pregón del enyucao.
Un *Vallenato apretao*
el *Porro magangueleño*,
Cumbia con *Playón veleño*
la *Canción para una amiga*,
El enrratonao, Intriga
y *El corazón antioqueño*.

Por las *Huellas de un amor*
busco a *La cañaguatera,*
y que este amor no se muera
como se *Muere una flor.*
Sé que es de negro el color
luto *La flor de apamate*,
el *Señor de Monserrate*
con *Un pasaje a tu nombre*,
saben *Por qué llora un hombre*
su pena en el cañaguate.

Brindo el alma, La llamada
Fuego de mina y tambor,
Volvieron, Pena y dolor
Del Casanare al Vichada.
La viejita enamorada
Dame tu mujer José,
Solo tú, Me equivoqué
Confianza, Aquel lugar,
Tusa, Decidí cambiar
Decisión, Lo que fue, fue.

Mi poema, Pecadora
Búscame, Impredecible,
No lo hagas, Imposible
Pajarito, Seductora.
No volveré, Me enamora
Mariposas en la panza,
Entre el tiempo y la balanza
una *Canción a mi padre,*
la *Canción para mi madre*
Naufragio de mi esperanza.

Vilma, Sé que te fallé
Todo daría por ti,
La fiesta, Ayer la vi
La culpable, Ella fue.
Verónica, Cantaré
Quiéreme, El cocinao.
El bachaco, Tao tao
El celoso, Campanadas,
Cuando hablan las miradas
Te vas, Me tiene atrapao.

Volvió el gabán coplero
Las verdades de mi vida,
El perro, Sombra perdida
Un pavito y un llanero.
Eres así, El vaquero
Nunca debí conocerte,
Volví de nuevo a tenerte
Oro negro, Dominado,
Quiero tenerte a mi lado
y *La estrella de la suerte.*

Yo soy Norelkys Rondón
Hoy hablé de ti buen rato,
La guisa se fue del hato
Este amor es cimarrón.
Mujer de acero patrón
alardeaba con su encanto,
El nuevo valor del canto
pero dicen por ahí,
que anda sufriendo por mí
Solita y regando llanto.

El gallo de Pascualita
Luna y sol, El brazalete,
Pauteño que se respete
Patrona de Margarita.
Gaitón, A la Virgencita
Cantares de Navidad,
Mi última voluntad
Gracias, Algo de tu parte,
Lola, El nuevo estandarte
y *Señora soledad.*

Falsaria, Mujer sufrida
con *Lo que quieras de mí,*
Un año feliz pa ti
y *Te cambiará la vida.*
La burra, Tu bienvenida
Yadira, El vengador,
Me voy de ti, Sin temor
No me dejes, Qué bonito,
Después de ti, Lucerito
No le temas al amor.

Es *La dueña de mi suerte*
son las *Huellas de un recuerdo,*
yo *Qué hago si te pierdo*
yo *Solo puedo quererte.*
Qué más para merecerte
piensa en que más contribuyo,
has doblegado mi orgullo
si me dejas moriría,
antes sí, te cantaría
Si yo fuera el dueño tuyo.

Alguien se preguntaría
por qué tanta *Historia gris*,
No he podido ser feliz
nada más respondería.
Aquella que perseguía
para brindarle mi abrigo,
soñándola *Aquí conmigo*
siendo que bien me portaba,
me dijo: *Todo se acaba*
Chao amor, *Chao contigo*.

Ya verán cómo renace
la fuerza en *El hombre pobre*,
y de esta forma recobre
el honor que se deshace.
Es un *Triste desenlace*
Ya no más, se terminó,
Es inútil, se acabó
me he quemado a *Fuego lento*,
Cómo duele el sentimiento
Así quisiera ser yo.

La tengo, *Tu serenata*
Momentos de amor, *Juliana,*
Cortando caña y *Mariana*
No quiere ser mojigata.
El primer amor, *Mi chata*
Por tu culpa, Macumbita,
El pícaro, Zulianita
Viejo con real es muchacho,
El pulgón, *El toro gacho*
El costeño, *La arañita*.

Cuando cuelgue mis espuelas
Aquí hay Guerrero pa rato,
Mi vieja, *Me voy del hato*
Disimula, *Pimpinelas.*
El taxista, *Cabañuelas*
Mérida, *qué linda eres*,
Qué hubo linda, *Dos mujeres*
Te encontré, *La acabación,*
Tus cartas, *El tarjetón*
Myriam, *Dime que me quieres*.

249

Dímelo sin resquemor
o **Es mejor no decirlo**,
es preferible lucirlo
si estás **Muriendo de amor**.
Me tildas conquistador
pero, como yo, tú pecas,
el destino me hace muecas
solo **Por una mujer**,
verán mi reverdecer
después de **Mis hojas secas**.

Si me cumple, nos casamos
me dijo: **Sigo esperando**,
yo seguiré **Barineando**
Joropo pa' lante vamos.
Amada, **Si no peleamos**
tal vez que se consolide,
mejor que no me descuide
y dime **Tú de qué vas**,
muy bien **Sé que volverás**
hazlo **Antes que te olvide**.

Qué tienes, mi corazón
El gocho, **La resentida**,
Cariñito de mi vida
Pajarote, **Mi bordón**.
Mía, Infame traición
Soné, Amor de papel,
Lucero ojos de miel
y **Después que te perdí**,
Cuando estoy pensando en ti
con **La duda de Miguel**.

Como el turismo la auspicia
Leticia linda Amazonas,
sus ricas frutas dulzonas
y una brisa que acaricia.
He conseguido en Leticia
esa de tiempo remoto,
mágico lugar ignoto
siendo de Vaupés vecino,
un canto precolombino
llamado **Cantos huitoto**.

Inírida bien sería
otro objetivo a lograr,
y con este confirmar
cuanto se comprometía.
Con el tema **A mi Guainía**
ando en las nubes sentado,
muy sereno, muy calmado
un agradable descanso,
de paz todito un remanso
bajo un verdor embrujado.

Pasamos por San José
el de mi **Lindo Guaviare**,
de más frutas un manare
me dieron cuando llegué.
Ligero me cautivé
con sus aves y sus trinos,
indígenas, campesinos
con sus penas y alegrías,
sus danzas, sus melodías
Guaviare y sus mil caminos.

Y a Putumayo que vuelva
con mi **Título de amor,**
La canción para una flor
y para la **Madre selva.**
Que otra en Armenia me envuelva
con su amor sin previo aviso,
y si una copla improviso
como un día improvisé,
en su lugar le diré
Quindío es un paraíso.

El aguardiente de caña
en Risaralda he probado,
Trigueña te has olvidado
de venir a **Mi cabaña**.
Es que **Allá en la montaña**
otra copla se atesora,
copla que en mi tierra aflora
La ruana con que cabalgo,
la capa del viejo Hidalgo
de mi pueblo fundadora.

Mi *Lucelia* en San Andrés
un tema a mí me dedica,
la canción *La avispa pica*
en español y en inglés.
Con un sí o con un *yes*
dime si al fin tú me quieres,
yo cumplo con mis deberes
andando bien preparado,
ven y *Quédate a mi lado*
y *Que vivan las mujeres*.

Bien que logré recorrer
las montañas y sabanas,
Vivencias santandereanas
conociendo *A Santander*.
Me dieron a conocer
el saludo provinciano,
¡ole pingo! ¡ole mano!
siendo la digna canción,
la digna salutación
de todo santandereano.

Que la danza no se pierda
esta danza más que estrecha,
con la pisada derecha
más fuerte que de la izquierda.
Con cada golpe concuerda
una no más a lo sumo,
Tanta belleza presumo
uno y el otro después,
en la *Danza del Vaupés*
y en la *Danza del guarumo*.

Para las *Danzas zulianas*
vaya toda *Mi querencia*,
va para Pasto y Florencia
y para las bogotanas.
Si muero en tierras lejanas
y *El testamento* se acata,
que revisen la postdata
porque en ella yo les ruego,
dos *Corazones de fuego*
pa que *Enciendan la fogata*.

No me lloren, se lo pido
piensen *A cambio de qué*,
El pueblo y mi novia sé
que acatarán mi pedido.
Y si *Amargo y dulce* ha sido
es por mi tierra bendita,
y como se necesita
atizar para que dure,
lleven las *Brisas de Apure*
Las brisas de Pamplonita.

Que cada uno batalle
fuerte como las majaguas,
lleven las *Brisas de Achaguas*
lleven las *Brisas del Valle*.
Para que más se amuralle
Brisas del Torbes y leños,
para que aviven los sueños
que lleve mi linda *Julia,*
todas las *Brisas del Zulia*
y muchos *Aires veleños*.

Suave brisa, Fuego ardiente
No esperes que te suplique,
con las *Brisas del Anchique*
Aires de mi tierra al frente.
Por esta causa exigente
ya nadie se desaparta,
leyéndose en esa carta
que lleve *Petra Narcisa,*
Los secretos de la brisa
Las brisas de Santa Marta.

Se dice en *El caserío*
la brisa trajo un secreto,
El ventarrón muy inquieto
Como la brisa y el río.
Aticen con mucho brío
tal *Como brisa llanera*,
adiós a la tolvanera
adiós *Brisas de aguacero,*
Adiós ventarrón llanero
que no se apague la hoguera.

Pajarillo sin fronteras
las dos naciones se abrazan,
Brisas de diciembre pasan
con las **Brisas sabaneras.**
Bajo **Ritmos y palmeras**
sigan ustedes luchando,
pero vivos y coleando
andándole muy de prisa,
Hacia dónde va la brisa
El llano me está llamando.

Enamorado de ti
Las brisas de Mata Fraile,
y **Que no se pare el baile**
Sigan bailando, **Sin mí**.
Bailen **El rico cují**
igual **Dime pajarito**,
Sufrir con **Dame un besito**
Otra vez, **La musiquera**,
San Marcos, **La calavera**
San Carlos, **Te necesito**.

Son sentimientos lo sé
es **El poder del amor,**
y por este **Tricolor**
Prometo continuaré.
Mi abuelo **El negro José**
a mi madre le refiere,
que por luchar él se muere
por levantar la bandera,
a luchar como cualquiera
pero **Mi mamá no quiere**.

Viajar me enseña el contraste
viaja la **Casta paloma**,
¡Epa Isidoro! que broma
el día que te marchaste.
A tu Caracas dejaste
vieja ciudad señorial,
que un buen grupo musical
en una plaza nos toque,
la canción **El superbloque**
y **De Conde a Principal**.

Qué bien *La pava congona*
qué buenos *Tiempos de antaño*,
Volver a vivir el año
oyendo: *Dama antañona*.
Los amores de Petrona
y *Carmen la que contaba,*
dieciséis años y andaba
tranquila por la pradera,
El norte es una quimera
como alguien comentaba.

La canción de Luis Mariano
la atarraya ha de romper,
Rumbo a oriente me han de ver
siendo oriente *Mar y llano*.
Hasta el puerto más lejano
iré con viento y marea,
Mi caramelo no crea
que me canso al navegar,
y nunca vaya a olvidar
Guayabo seco florea.

Hoy pruebo la consonancia
de mi pasado y futuro,
viendo que en Delta Amacuro
sentí *Mis días de infancia*.
Ni el tiempo ni la distancia
y menos *La montañita*,
te traigo mi *Trigueñita*
con toda la *Ensoñación*,
Arpa, camino y canción
Canción para Tucupita.

Las garzas revoloteaban
El cantaclaro del río,
un toro con su pitío
cuando las aves cantaban.
Otros pájaros volaban
por los cielos a su antojo,
de orquídeas traje un manojo
la guacamaya miré,
Así es mi tierra y lloré
mirando su mangle rojo.

Mi Carúpano querido
bonito río Caribe,
la lancha espero que arribe
con el *Canchunchú florido*.
El guareguare al oído
El pavo, *La chacalera*,
Alma cumanesa oyera
igual *Caramba mamá*,
Fulía de Cumaná
¡Ay Cumaná quién te viera!

Bella Margarita amada
tu *Amigo turista* sueña,
con la *Suite margariteña*
con cada playa encantada.
Perla de oriente llamada
bella como *Santa Marta*,
con las dos que se comparta
fruto del *Amor latino*,
de un buen *Amor cristalino*
y *La lancha Nueva Esparta*.

La fiera, *Golpe estribillo*
Joropo con media diana,
la *Diosa neoespartana*
Querencias de lo sencillo.
Naufragio, *El panecillo*
el *Sentimiento oriental*,
Muchacha, *El mariscal*
con *Diciembre en Margarita*,
La cura, *La güireñita*
y *El ave nacional*.

El trazo de mi destino
Romance del pescador,
Sin motivo, *Blanca flor*
La vivencia del marino.
Le dejé libre el camino
El muchacho becerrero,
Cariaco, *El lagunero*
El guamazo, *Zulenita*,
El róbalo, *Madrecita*
A todo canta el llanero.

Voy **Joropeando en oriente**
la tierra que tanto aprecio,
El joropo de Lucrecio
hoy más que nunca vigente.
El guareque así presente
con otros del gran folclor:
La novia del pescador
Tírame seis, **El paují**,
As de oro, **El chirulí**
Taxi, Al compositor.

Del guaiquerí su tristezala
La Tristeza guaiquerí,
que cante **El grillo cri cri**
brilla **Luna cumanesa**.
El guanaguanare besa
unas aguas de primero,
con su vuelo mañanero
Festín marino alcatraz,
Camaure, **El salto atrás**
hazañas de un **Piragüero**.

Acróstico para Luisa
Canción de Puerto La Cruz,
La iguana, **Sueño de luz**
Me llaman Nella, **La lisa**.
Milagro de una sonrisa
Van cantando por la sierra,
La puerca de Juana Guerra
Carta en rima a Carolina,
con **Adoración marina**
y **El joropo de mi tierra**.

Llegaron los cantadores
con sus décimas y cantos,
a **La fiesta de los santos**
llegan **Los madrugadores**.
La troya, **Nuestros valores**
El chivo, **Polo playero**,
La blusa, El maraquero
Nostalgia del pescador,
Oriente es otro color
y **El polo de lo que quiero**.

En oriente me quedara
luego de tanto agasajo,
Orinoco río abajo
con *El mono de Caicara*.
El conjunto se prepara
Arpa y tierra soñadora,
adiós a mi *Flor de bora*
hoy me despido de oriente,
hoy me despida su gente
con *Estribillo y tambora*.

Llegan a mi *Aragua linda*
El compay con la comay,
El amor y Maracay
que este designio me brinda.
En Miranda que me rinda
la copla que he comenzado,
en el Tuy ya se ha escuchado
cantando un *Maracayero*,
el *Amanecer tuyero*
con *El gato enmochilado*.

El nuevo grito guerrero
con el *Amor prohibido*,
a mi diosito le pido
Volver a nacer llanero.
El *Romance quinceañero*
dos años no más duró,
y ahora que se casó
dice *Pensándolo bien*:
Tú casado yo también
así que *Se equivocó*.

Por ti mi *Copetoncita*
por ti *María Fernanda*,
mi corazón ya desanda
Por una mujer bonita.
Te ruego mi *Marielita*
vente que te estoy amando,
Guerrero sigue cantando
que me quiero emborrachar,
Más allá de aquel palmar
Déjenme seguir tomando.

Ya *Mi dolor de cabeza*
está por desvanecer,
Así te quiero querer
Contemplando mi tristeza.
Aceptaré con nobleza
El caso que se perdió,
su hermano me aconsejó
para respetar a *Norma*,
lo llame de cualquier forma
pero *Más cuñao no*.

La que no sabe querer
sabe que no me interesa,
pues mi *Linda cordobesa*
me dijo para volver.
Recobrando aquel poder
y dándome un nuevo chance,
hoy me dije en este trance
con el amor seré firme,
y a Guanarito he de irme
Guanarito es un romance.

Guayacán de mi llanura
pensando en mi Maturín,
al tema le puse fin
este aprieto tendrá cura.
Otra me hará la sutura
y con un *Punto final*,
A punto de manantial
con agua de verdolagas,
Mi canto para Monagas
Monagas monumental.

El amor de Claudia clama
La tierra de dónde vengo,
nadie *Como yo la tengo*
La santa, *Toda una dama*.
Y como tengo *La fama*
al igual se enamoró,
A la ventana salió
mi amada con *Ilusión,*
Ya no sufras, *corazón*
El que te gusta soy yo.

Fuente de la Coromoto
regresando a Portuguesa,
donde el peregrino reza
como probado devoto.
El conoto, **Flor de loto**
En un caballo alazán,
igual que **El alcaraván**
y al salir de **Guanarito**,
fui a buscar a **Juan Solito**
por todo **Mi Camaguán**.

Por Amazonas pasé
por Puerto Ayacucho en sí,
y una muchacha de allí
a Tobogán invité.
En ella me refugié
sin pasarme de la raya,
escuchando la rondalla
de la selva majestuosa,
con mi **Amazonense** honrosa
de chinchorro y atarraya.

Para avanzar con el cante
regresaremos hermano,
al Bolívar colombiano
desde un pueblito distante.
Muy conocido y boyante
Pa mi Colombia primero,
Mejor me quedo soltero
ando buscando **Una flor**,
fue que **Soñé un amor**
Leonilde, **Lo que más quiero**.

Me duele tanto no verla
dicen: **Quien quiere, quien puede**,
si mi Dios me lo concede
no volveré a perderla.
Además de complacerla
con un viaje a Magangué,
sin dudas la llevaré
a **Las playas de Marbella**,
y si no me deja ella
yo menos la dejaré.

El momento que predije
se presentó algo intenso,
es que *Te pierdo y te pienso*
y *Lo que yo nunca dije.*
Como su arrogancia rige
cada palabra lanzada,
Ni es chicha ni es limonada
diciéndome *Entre comillas*:
Escúchame De rodillas
Contigo no quiero nada.

Con su actitud vi una actriz
notándola en su semblanza,
así *Murió mi esperanza*
Solo quiero ser feliz.
Quería *La cicatriz*
yo mirara y *El error*,
y con su *Miedo al amor*
Amor de hoy, Tu historieta,
me decía aquella prieta
que soy *Un buen perdedor*.

Le decía a *La Lorenza*
cómo *Llora esa mujer*,
con *Así fue mi querer*
comenzaba mi defensa.
Ya tendrás *Tu recompensa*
le comentaba entre ceños,
aunque en fragmentos pequeños
Mi dulce amor te derramo,
Nunca niegues que te amo
pienso *Bañarte en mis sueños.*

Con eso me defendía
cual presa de un aguilucho,
Sabes que te quiero mucho
y mucho más te querría.
Amores de La Rompía
La custodia de Badillo,
El vuelo del pajarillo
El tema, Baila morena,
En verdad vale la pena
con el *Caballo amarillo.*

Ramoncito en Cimarrona
Muchachito campesino,
vive del *Trigo y molino*
igual que *El Indio Tayrona*.
Soy el joropo en persona
Me gusta, *Mi Casanare*,
que canten el *Mare mare*
canten el *Puente Angostura*,
Vámonos pa mi llanura
 canten *Adiós a Ocumare*.

Recorriendo el Caquetá
porque *Caqueteño soy*,
Soy caqueteño, *Me voy*
Campana, *A mi papá*.
La yuca, *Cómo será*
El lamento guaiquerí,
Vete ya, *Chichi maní*
Quebrada seca, *Te invito*,
Quisiera ser pajarito
y *A dónde iré sin ti*.

Cumplida su aparición
por ciudades guariqueñas,
pasó por las merideñas
por Nariño y por Falcón.
En todas, la expectación
la incógnita a decidirse,
escuchando al despedirse
Décimas a Pedro Pablo,
Qué descaro, *Pobre diablo*
y *Cuidado con dormirse*.

Por venir a Bogotá
De imprevisto me han flechado,
Besos de sal he probado
de su *Boquita salá*.
Me da un besito y se va
por culpa del *Compadrito*,
que cantó *Pami solito*
Corozalito sin tono,
sabiendo *El compadre mono*
no le presta *El guarapito*.

Las muchachas dicen que
con rabia *De mí te fuiste,*
El castigo que me diste
nunca me lo imaginé.
Ahora sí me enguayabé
y me quiere castigar,
pero debe recordar
ante cualquier desparpajo,
No soy una concha de ajo
No me van a ver llorar.

Cuando la tarde regresa
yo le canto *A lucecita,*
siendo mi *Niña bonita*
y *Mi querida princesa.*
Yo no le pedí la pieza
a *Mi compadre* entonao,
tampoco *El toro pintao*
pero al fin nos complació,
con *Quiérala más yo*
Tengo el corazón curao.

Alcaraván del estero
mi linda Luz no se ablanda,
me voy a *Puerto Miranda*
Un guayabo pasajero.
Torbellino santanero
para mí, cosa vivida,
más con mi *Irma querida*
mi *Pedacito de cielo,*
es mi alivio, mi pañuelo
y *La dueña de mi vida.*

A la *Fiesta de negritos*
Sombrero amigo me iré,
no más con *Juana y José*
y mis *Cinco centavitos.*
Los cisnes y *Tucusitos*
Sé morir, La gozadera,
El guate, La Panadera
El indio, El peluquero,
La pascua, El billetero
El tamal, La molinera.

Trujillo, **Te eché de menos**
Canto a mi tierra de flores,
y le canto a los amores
que yo tuve en tus terrenos.
Trujillanos de los buenos
trujillana, quiero verte,
Ahora sí llegó mi suerte
te diría de primero:
yo seré **Tu jardinero**
es que **No quiero perderte**.

A Pereira un homenaje
la canción risaraldense,
y mi **Tierra tachirense**
de cultura un gran bagaje.
Yo **Soy andino** y le traje
a mi linda muchachita,
una **Linda Margarita**
este pequeño rosal,
con una **Noche estival**
El cobre y **La carterita**.

Seis veranos han pasado
no pasarán más de tres,
dijo Valiente una vez
alegre y entusiasmado.
Que por todo lo avanzado
ya poquito faltaría,
recalcaba, repetía
como un quijote soñando,
como lo sigue deseando
toda la quijotería.

Con **Mi tierra y mis canciones**
me he venido conformando,
y váyase preparando
para **Nuestras vacaciones**.
¿De cuánto tiempo dispones
Martica, para viajar?
Pues quisiera disfrutar
al fin contigo, **Morena**,
las **Noches de Cartagena**
las **Noches de Porlamar**.

Hay un **Hombre parrandero**
y no por **La sirvengüensa**,
Príncipe azul que se piensa
es el **Gavilán pollero**.
Lo llaman **El embustero**
Bandido, **El chupaflor**,
se dice **El conquistador**
y ser, como lo dijera,
un buen **Hombre de madera**
mas no **El gavilán mayor**.

Dicen **Hay que estar pendiente**
ante cada gavilán,
La derrota de un donjuán
no es fácil, **Pija pariente**.
El **Corazón indolente**
me causó la **Doble herida**,
Realidades de la vida
dicho con toda franqueza,
con **Paola** y **La pobreza**
Uno la lleva perdida.

Para **El baile del pescao**
a **Martha Helena** invité,
además, me llevaré
El garrote encabullao.
Que **Me tiene enamorao**
lo sabe y por demás,
pero me dijo: **Quizás**
que mucho lo lamentaba,
cuando supo que contaba
Con real y medio no más.

Pena **Volví a llorar**
el **Señor metal** ganó,
la mujer se me esfumó
con otra **Quiero volar**.
Clemencia con su mirar
esta morriña me quita,
ya verás **Mi tortolita**
ya conocerás **Mi nena**,
Las playas de Cartagena
Las playas de Margarita.

Conozco a las dos de lleno
las dos me dan alegría,
igual que **Dulce María**
que canta **Al claro y sereno**.
Yo sembré **Amor del bueno**
Solo por ti, **María Esther**,
en **Un nuevo amanecer**
he de recoger la siembra,
La cumbia es una hembra
Guayana es una mujer.

Dulce no se decidía
ni la joven, ni la doña,
indecisa **Carmen Toña**
indecisa **Ana María**.
Viajar sí lo pretendía
La suegra de Santa Rita,
pero aquella tardecita
yo le dije a **La fregona**,
Tas como loca Ramona
lo lamento **Ramonita**.

Tengo el **Corazón marcao**
no me fue bien en **La playa**,
fue que **Me picó la raya**
y **El bachaco colorao**.
Un **Pescao envenenao**
y salado me comí,
por nada a San Pedro vi
y en mi casa me contaron,
que durmiendo me encontraron
casi **Muerto en Choroní**.

El gran amor de mi vida
con muchísima **Añoranza**,
sería **María Esperanza**
pero alargó **La partida**.
Ya le dije a **Mi querida**
Dame lo que te pedí,
y allí mismo conocí
a la extraña **Carmen Rosa**,
tan rara **La misteriosa**
como un cuadro de Dalí.

Ay, mi gabán pobrecito
hoy tienes tu *Amor herido*,
eres *El gabán perdido*
mi gabán *El gabancito*.
Dos lunas yo necesito
regalarle a mi *Chiquilla*,
a mi amada *Gitanilla*
y que el agrado le dure:
La luna sobre el Apure
La luna de Barranquilla.

Yo *Te regalo la luna*
Parió la luna, mi *Elena*
Tonada de luna llena
un *Romance en la laguna*.
Contadas una por una
tiene a la *Luna llanera*,
a la *Luna orichunera*
la *Luna roja* clarita,
la *Luna de Margarita*
y la *Luna sanjuanera*.

Mi *Lunita guariqueña*
con las otras te comparo,
Luna del Capanaparo
Lunita casanareña.
Con la *Luna caraqueña*
se alumbra la capital,
Lunita primaveral
La luna y tú, Luna llena,
la *Luna de Arauca* plena
la *Lunita de Yopal*.

Alumbra a mi *Pretendida*
Lunita de Cabudare,
Luna clara de Guanare
mi *Lunita consentida*.
Claro de luna encendida
Toda la luz mi lunita,
Hermosa campesinita
ante las *Penas amargas*,
que en *La guerra de los Vargas*
proteja a *La chaparrita*.

La **Luna del Meta** está
alumbrando a mi **Adonay**,
la **Luna de Maracay**
la **Luna de Cumaná**.
Mi **Luna de Boyacá**
dame tu luz concentrada,
para buscar a mi amada
a mi preciosa morena,
Romance de luna llena
Bajo la luna menguada.

Todo por nada y **Olguita**
Llanera como ninguna,
Luna de plata y la **Luna**
de Maracaibo bonita.
Su **Piel de luna** me invita
entre ellas se comparan,
y si todas me alumbraran
como aquella por completo,
de qué valdría un secreto
Si los caminos hablaran.

Para **María Cristina**
Rumores de serenata,
un **Rumor** de noche grata
para **Laura la sifrina**.
Qué gusto **Matilde Lina**
Mucho gusto, señorita,
un beso para **Panchita**
para la **Vieja y famosa**,
para **Mi celosa hermosa**
uno más para **Juanita**.

Me quema con su mirar
tal **Como un rayo de sol**,
La negrita Marisol
sí que es buena para amar.
Estuve en **Valledupar**
Solterito no me quejo,
Con plata no hay hombre viejo
Te amo, **Sincero soy**,
Pa Maracaibo me voy
Corozal y Sincelejo.

Y *Si la plata se acaba*
decía *Rosa de otoño*,
ni *Con la mano en el moño*
sería lo que esperaba.
Triste y sola se quedaba
diciendo que yo en su fuego,
me quemé y estaba ciego
que su cariño perdí,
Ella está loca por mí
llamándome *El mujeriego*.

Triste Navidad, solito
Ende que murió mi negra,
mi pecho se desintegra
Olvídala, *Mi ranchito*.
Un guayabo pequeñito
decía *La margentina*,
Guayabo negro, *Fermina*
Del tingo al tango me cargas,
y siento cuando te largas
la *Nostalgia campesina*.

Ay, *ay*, *ay*, *corazoncito*
y es *Por alguien como tú*,
quiero verte en el *Tolú*
te espero en el *Arroyito*.
Confiando en su cariñito
y confiándolo a la suerte,
casi provoca mi muerte
diciéndome en tres mañanas:
Se va a quedar con las ganas
yo ya *Prefiero no verte*.

El travieso, *Travesuras*
Corazón amallugao,
otro *Guayabo coliao*
Arroyito que murmuras.
Por las mismas chifladuras
y *Un cariño verdadero*,
van el mar y el marinero
la danza y *El chiriguare*,
La burrita de Petare
con *Mi burro conuquero*.

La botaron de jonrón
a ella **No hay quien le gane**,
y **Tania** que al fin me sane
Ya no aguanto el corazón.
Una **Predestinación**
me dejaron sin clemencia,
alegan que con frecuencia
se me ve con **Rosa Elena**,
que **De rumba en Chirimena**
y **De parranda en Florencia**.

Ando buscando a **Corina**
Carita de ángel tiene,
tal vez la que me conviene
pero tal vez **Saturnina**.
Igual me pasa con **Tina**
con un **Ardiente deseo**,
pero lo que sí no creo
ni tan siquiera pensar,
es poder enamorar
a **La negrita de Cheo**.

Entre palos y alegrías
un arpa se barajusta,
El ritmo que a mí me gusta
El tigre de Las Marías.
Hoy me dijo **Carmen Díaz**
Voy a dejar de celarte,
pero si piensas quedarte
con esa vida mundana,
como **Catalina y Juana**
Voy a tener que olvidarte.

Fíjate bien, **Mi castigo**
El enredo, **Diminuta**,
Pepe, **Me voy pa Baruta**
Aunque no sea conmigo.
La paga, **Más que tu amigo**
Es tarde, **La candelosa**,
Muchachita buenamoza
Yo me voy a Cartagena,
Ven que te espero, **morena**
Negra criolla y maliciosa.

No merece una traición
la *Preciosa merideña,*
una *Cumbia soledeña*
el *Amarillo limón.*
Ayapel, El chicharrón
Espíritu colombiano,
Merengue venezolano
La concha, Mundo ideal,
Será, Un hombre normal
y las *Coplas de mi llano.*

Soy *El profesor rui rua*
un músico muy letrado,
el que a muchas ha cantado
las *Tardes de Naiguatá.*
La ñeca, Viene y se va
yo me hago el desentendido,
por costumbre precavido
y en el juego dando y dando,
Me vives amenazando
Corazón que estás dormido.

Es que en *Flores de María*
te han llamado picaflor,
No juegues con el amor
menos con *Olga Lucía.*
Una *Compañera mía*
dice que el tiempo compartes,
que mil lisonjas repartes
que a muchas has engañado,
Preso por enamorado
un *Amor en todas partes.*

Arremete en contra mía
con su *Carita de rosa,*
La culebra venenosa
que salir de mí quería.
Si quieres *Sara María*
si a usted quererme le nace,
No me recoja el envase
y deme la *Bienvenida,*
que soy, diga *Presumida*
Un heladero con clase.

Bésame poquito a poco
es bueno que lo aproveche,
tengo *El helado de leche*
y tengo el *Arroz con coco.*
El merey con *Medio loco*
La barquilla igual le brindo,
Más feliz, el *Niño lindo*
pues le tengo de remate,
Caramelo e chocolate
La rama del tamarindo.

El *Juramento sagrado*
con *El negro y el catire*,
tras el *San Juan de Guatire*
El catire y *A tu lado.*
El ladrón enamorado
Cantares del chaparral,
La canción del carnaval
Yo quiero tener un fundo,
Mientras exista en el mundo
Mujer de nadie, *Cristal.*

A ver si un punto me anoto
Taratorito del caño,
ando en *Mi potro castaño*
tiré *La última foto.*
Teniendo el *Corazón roto*
hoy doy mi brazo a torcer,
fue que *Volví a caer*
mirando a *Laura* llorar,
esta vez voy a confiar
en *L*ágrimas de mujer.

Esteros de Los Trompillos
Aguacerito de agosto,
en cualquier cañito angosto
saltan los sapos y grillos.
Las ranas en los charquillos
se oye el cantar de los gallos,
el sol asoma sus rayos
la *Madrugada llanera*,
Mariposa sabanera
Al café y a los caballos.

Mi **Comadre Petra Juana**
que por mirarme casado,
tiene ese tema trillado
animando a **Feliciana**.
Dispara su cerbatana
y me lanza su flechazo,
hablándome del rechazo
que al matrimonio he tenido,
al final le he respondido
Comadre, *yo no me caso*.

Yo no me voy a casar
se lo dije a **Yamaray**,
Por aquí vengo comay
trabajando sin cesar.
El viernes voy a brindar
a muchas patriaunidenses,
unas **Coplas boyacenses**
y **Noches de Bocagrande**,
y **Mirtha** espero que ablande
con unas **Noches larenses**.

La **Madrugada en el mar**
me pasé con mi costilla,
Lo mejor, **La maravilla**
disfrutando en **Pampatar**.
El enredo familiar
tengo un hijo que es mi tío,
El vuelo, **Como el rocío**
Mi mala, **Cariño ingrato**,
soy **Hijo del vallenato**
Soy el padre del corrío.

Ella es quien me sonsaca
La hija de mi comadre,
bien que lo sabe **El compadre**
y **El brujo de la machaca**.
Fue que **La negra Ciriaca**
un día se enamoró,
de un hombre que le cantó
Vagabunda inspiración,
Mañana, **El cuarentón**
Ese llanero soy yo.

Piensa que yo debo estar
de buena fe no lo niego,
cual *Las meninas* de Diego
en un cuadro familiar.
Cual la canción ***Respirar***
que me traten sin apuros,
aun en los tiempos duros
Yo no guardo capital,
ando ***Entre el bien y el mal***
saltando y ***Rompiendo muros***.

Ya llego, ***Ya voy llegando***
Ábreme las puertas llano,
Cosas que matan paisano
cuando el llano voy cruzando.
Ya me vengo levantando
apaciguo ***El infortunio***,
ya con otro ***Plenilunio***
la intentaré conquistar,
Fue por ella mi cantar
Las tardes grises de junio.

Venezuela galopante
junto a la ***Colombia mía***,
contento el rumbo seguía
con una ***Luna menguante***.
La vida vale bastante
ahora sí ***Cambiaré***,
no más, ***No te olvidaré***
ricura de ***Piel canela***,
y tiene mi ***Marisela***
Ojos de yo no sé qué.

Le dije ***En un rinconcito***
dame ***Tu linda mirada***,
toma tu ***Carta malvada***
Dos pétalos y ***El besito***.
Canta gallo, ***Tucusito***
canta ***El viejo conuquero***,
Nuevamente a mi potrero
Llanera de mis antojos,
Adoro, niña, ***tus ojos***
Te quiero porque te quiero.

Bien saben que los extraño
Ojitos color guayoyo,
aguas claras de mi arroyo
donde yo mi verso baño.
El diablo, el *Desengaño*
dicha *Venció el amor,*
hoy doy un salto mayor
y a la prueba me remito,
pasé de ser *El torito*
a *El toro más pitador.*

Yo con mi canto la arropo
como arropo a *Magdalena,*
voy a bailar con *Milena*
que *Canta y baila joropo.*
Si con *Isabel* me topo
y con *Amalia Vergara,*
a las dos daré la cara
mis *Dos rosas* de antemano,
Mi llovizna y mi verano
Mastrantal y luna clara.

Ya lo ha dicho en un refrán
El pescador de mi tierra,
que si una puerta se cierra
muchas otras se abrirán.
A mi tierra volverán
como *Rayito de amor,*
canta *La pesca* un cantor
Bonguero del Matiyure,
Pescador del río Apure
y el *Alegre pescador.*

Camino de San Fernando
por las *Queseras del medio,*
donde tengo un viejo predio
donde me están esperando.
Cual lancero voy gritando
El grito de las queseras,
hoy por estas carreteras
la frontera he de cruzar,
para irme *A parrandear*
Al compás de las polleras.

Arauca me vio llorar
La luna y el pescador,
por un *Recuerdo de amor*
muy *Difícil de olvidar.*
No te voy a perdonar
dame *El último retrato*,
te salió, violando *El trato*
El tiro por la culata,
no solo metes la pata
igual *La pata y el pato.*

Llanera recia y veguera
sé que la debo encontrar,
pero además debe estar
Bonita, *Buena y soltera.*
La verdad, *Si por mi fuera*
me quedara una semana,
Puro amor, *Sanandresana*
Salimos de chaquetica,
Lo criollo me identifica
Mapelé, *La guachimana*.

Que caiga el aguacerito
Aguacerito menudo,
del *Palo de agua* me escudo
cuidándome *El pellejito.*
Me salvé por un poquito
pues seguido del donaire,
la mujer me hizo un desaire
y qué, por *Machista y necio,*
haciéndome tal desprecio
y *Echando tiros al aire.*

Al final me despreció
que soy *El loco jembrero,*
y *Debajo del sombrero*
El guachimán se perdió.
Llanero como soy yo
que nunca pierde ni empata,
que canta *La paraulata*
y la *Gaita sabanera*,
Bendita tierra llanera
Tu amor ya estiró la pata.

No le falta **La cobija**
a **Un llanero embilletao**,
Negro viejo embraguetao
Compañero no se aflija.
Si le faltó **La sortija**
quizá por desprevenido,
ha de repetir, le pido
La esencia el joropo y yo,
que solamente falló
El flechazo de cupido.

Con un **Corrío llanero**
Cuéntame cómo está todo,
usted habló de mi acomodo
pensando tengo dinero.
Yo despedirme prefiero
pero antes de partir,
no más les quiero decir
Copleras de verso firme,
que a un verso voy ceñirme
Vivan y dejen vivir.

Así que ya me despido
lo cumplo al pie de la letra,
El pañuelito de Petra
otros **Intentos de olvido**.
Lo tengo bien merecido
por no tomar un consejo,
tendré que seguir parejo
Plegarias para mi madre,
un **Homenaje a mi padre**
Se puso viejo mi viejo.

Regálame algo de ti
aquí no me siento ajeno,
A joropito pa bueno
el que cantan por aquí.
Amor viejo, **Piensa en mí**
La oración de un fiel llanero,
En un baile sabanero
Me conformo, **La rumbita**,
Lo que venga, **Pequeñita**
La hija del ganadero.

El veguero y el sifrino
Yo también canté con él,
La hija de San Rafael
Mentira, *El libertino*.
Golpesito campesino
Matambo, *Quiérela o vete*,
Cumbia en el monte, *Billete*
Por este camino viejo,
Muchacha aflójeme el rejo
Molino mi molinete.

Los aperos de un llanero
Lamento náufrago, *Quién*,
Guayacán, *A mí también*
Guayabito rebalsero.
La totuma del quesero
Ojos brujos, *En voz alta*,
Dime, *María Peralta*
La brujita, *Fantasía*,
Promesas, *Doña María*
y *Me estás haciendo falta*.

Con el *Humilde aposento*
Paraulata del camino,
Juan Bimbe, *El pirulino*
la *Tonada del tormento*.
Tuyo es mi pensamiento
Arauca, *El pajarero*,
siendo yo *El serenatero*
En honor a mi papá,
Yo me voy de madrugá
buscando *El cunavichero*.

Marucha, *Soy colombiano*
tengo sabor a *Canela*,
Yo vengo de Venezuela
con *Sentir yaracuyano*.
Yo soy *El sincelejano*
El guacirqueño y *Caleño*,
igual *Soy margariteño*
llanero, *Gracias Yopal*,
Tengo una novia en Bruzual
mi *Amor en Puerto Carreño*.

Al norte del sur verán
una grandiosa nación,
El jardín de Fundación
donde igual celebrarán.
Dos patrias que se unirán
para nunca separarse,
además, debe acotarse
subrayadas en *La Historia,*
que las *Huellas de victoria*
no volverán a borrarse.

Con las manos extendidas
Soy la voz de mi nación,
La voz de mi corazón
por las dos patrias queridas.
Muy pronto serán unidas
hoy me siento más que vivo,
Grito de un llanero activo
El cantor de Villanueva,
Tonada de patria nueva
Mi más hermoso motivo.

El género literario
es como un *Tren sin retorno*,
que nos dibuja el entorno
de un presente necesario.
Un jinete temerario
retando a la muerte a duelo,
veloz ha caído al suelo
como muere el fino gallo,
La muerte viaja a caballo
revelación del abuelo.

Calor, venganza y tormento
Juego de damas nos cuenta,
y *Después de la tormenta*
el frágil entendimiento.
Con un real argumento
Un tal Bernabé Bernal,
la Bogotá conventual
temerosa, suspicaz,
erotismo y mucho más,
La mujer en el umbral.

La desgracia nos aviva
El cadáver insepulto,
un secreto bien oculto
María la fugitiva.
El Olimpo nos cautiva
en *Los días animales,*
Crímenes municipales
unas ideas sin voz,
y en la búsqueda de Dios
Afectos espirituales.

Veo en *Nuestra guerra ajena*
la lucha más vieja y larga,
y veo en *Colombia amarga*
la invasión como condena.
En una plática amena
un amigo conversaba,
con otro que recordaba
del Caribe su color,
destacando aquel autor
El olor de la guayaba.

Doña Bárbara es batalla
del civismo paso a paso,
luchando contra el atraso
que la barbarie no calla.
De renombre y de gran talla
otra me toca en el fondo,
me hace sentir muy orondo
un clásico de verdad,
Cien años de soledad
con los Buendía y Macondo.

Gloria a Dios y un padrenuestro
todas las noches repito,
Cuatro rostros del delito
explica cada siniestro.
La *Noticia de un secuestro*
con angustia llorarán,
y ciertas veces verán
la gran columna en los diarios,
La virgen de los sicarios
y la *Sangre en el diván*.

Ya no se sabe hasta cuándo
habrá **Guerras recicladas**,
las guerrillas aferradas
millones la paz buscando.
El viaje inefable guiando
la palabra conveniente,
y **Zumbido** es procedente
con un porvenir sin pista,
tras el rastro de un artista
Peregrino transparente.

La misa ha terminado
ademanes y sotanas,
peleas, gallos, jaranas
en **El día señalado**.
El crimen organizado
con mucha coordinación,
Sangre ajena, coacción
ideales y disputas,
en el **Changó, el gran putas**
signos de liberación.

El sarcasmo y buen humor
en **El móvil del delito**,
y todo quedó igualito
dicho en el **Marzo anterior**.
La trepadora hace honor
de lucha rural y urbana,
El Cristo de espaldas sana
con una crítica franca,
Memorias de mamá blanca
la vida venezolana.

Amigas que han de escapar
Las lectoras del Quijote,
La luz difícil, el brote
de recuerdos al pintar.
Un gran hallazgo en el mar
hay en **El príncipe moro**,
el saqueo de un tesoro
en **Boves, el urogallo**,
Cuicas, Carora y **El gallo
de las espuelas de oro**.

Labor venezolanista
crisis de una economía,
Manuela es: patria mía
de arraigo nacionalista.
Puntos de sutura dista
las dos vidas separadas,
selva, mosquitos, andadas
La Vorágine sentencia,
la guerra de independencia
en **Las lanzas coloradas**.

Muchachos y frustraciones
La manada en plena acción,
así **La sombra de Orión**
ficción, desapariciones.
Cubagua nos da razones
del hombre conquistador,
el deshecho de un amor
Amar a Olga relata,
Los inmateriales trata
de un viaje transformador.

Guerreros americanos
Tapices de historia patria,
distinto al guerrero chatria
más sí de buenos paisanos.
La huelga de los bananos
que **La casa grande** exhibe,
la **Biografía del Caribe**
expresada en sus naciones,
aventuras y emociones
que **El alcaraván** describe.

Lo es todo, o no lo es nada
en **Patria y libertad**,
En honor a la verdad
la verdad empoderada.
Una historia fabulada
hay en **Mirando al tendido**,
toro y torero han perdido
Se busca un país que narra,
la fuerza con la que agarra
la fe su pueblo abatido.

Contra intereses explana
La flor escrita ¡iracundos!,
El regreso de tres mundos
vida hispanoamericana.
Novelas, damas y diana
Fémina suite, trilogía,
Diana cazadora impía
El día del odio expresa,
cuenta y marcada pobreza
Celia se pudre entropía.

Plagio, miseria y crueldad
toca **Los platos del diablo**,
La tuna de oro el vocablo
pintoresca vecindad.
Rocanegras: vanidad
mucha intriga, muchos males,
Días azules iguales
que a la infancia se ha suscrito,
en: **Al filo del delito**
con relatos criminales.

Alguien se saltó la regla
en **El suicidio del siglo**,
tal vez el monstruo vestiglo
criatura de la tiniebla.
Testimonios de la niebla
de los altos mirandinos,
unos testigos genuinos
frío que se ha de vencer,
Y de repente fue ayer
huracanes y destinos.

En **La verdad sea dicha**
un memorial bien contado,
un pueblo desconcertado
nos dibuja **La Guaricha**.
Pobre negro y su desdicha
negro pobre con bravura,
una brega que perdura
error de la raza humana,
se oyen **Los cuentos de Juana**
de alucinante locura.

El **Padre Casafús** tiene
pasiones espirituales,
las pasiones terrenales
piensa que alguien las llene.
El crudo explotado en **Mene**
las **Plegarias para un zorro**,
cuatro países recorro
Ciudadanías del miedo,
a muchos le importa un bledo
que al final pidan socorro.

Día de los inocentes
La carroza de Bolívar,
Sexo y saxofón, almíbar
que tienen los pretendientes.
Zárate mostró los dientes
teniendo de todo un poco,
de malo, de bueno y loco
odiado pero querido,
no sería gran bandido
pero Robín Hood tampoco.

Un pueblo caído en ruinas
con sus heridas abiertas,
Ortiz en las **Casas muertas**
desventuras campesinas.
No solo palabras finas
hay que hacer la aclaratoria,
El poder de la oratoria
son frases, verbos fluidos,
tiempos y espacios perdidos
La ceiba de la memoria.

Castillo y casas lejanas
hay en **El Mundo de afuera**,
y la adaptación espera
Una tarde con campanas.
Muerte y miserias humanas
en **Las formas de las ruinas**,
decisiones leoninas
Sin tetas no hay paraíso,
cada patrón pone un piso
según sus propias doctrinas.

Cantaclaro en su porfía
con el diablo batalló,
Marquesa de Yolombó
raza, pueblos, minería.
País portátil, el guía
por la verdadera paz,
El hombre de hierro audaz
sátiras y dictaduras,
políticos, caras duras
como no visto jamás.

La otra isla, Margarita
en un contexto sencillo,
bonita cual retablillo
para una Virgencita.
La muerte un vástago quita
en *Lo que no tiene nombre*,
la escritora de renombre
narró con llanto la historia,
aludiendo la memoria
entrañable de aquel hombre.

La violencia desatada
en *Cenizas para el viento,*
en cada grito un lamento
según *La sangre lavada*.
Con la persona indicada
El doble arte de morir,
alguien quiso describir
la gran novela *Ifigenia*,
los sueños de María Eugenia
que nunca logró vivir.

Unas notas de primera
en *El libro de la salsa*,
el caraqueño se alza
con la Caracas rumbera.
Cali la industria salsera
con *La salsa en discusión*,
en cada compilación
el género se enaltece,
con ellos se inspira y crece
para su divulgación.

Con mucha serenidad
alzando mi copa brindo,
Abrazo del tamarindo
música y virginidad.
La casa de vecindad
el viejo tiempo anhelado,
nos cuenta ***El perro Nevado***
los pueblos que se avalientan,
Alegres provincias cuentan
a Humboldt homenajeado.

Tiempos y casa añorada
miramos en ***El vergel,***
y ***La balandra Isabel***
llegó esta tarde amada.
La soledad condenada
El olvido que seremos,
en ella conoceremos
además, vidas opacas,
en ***Latidos de Caracas***
la urbe recorreremos.

Cuánto tiempo se acumula
desde aquel antepasado,
el duro conflicto armado
dicho en ***A lomo de mula.***
Sin remedios nos formula
un poeta en su desierto,
ahora ***Te pienso en el puerto***
donde el corso al fin llegó,
y a Carúpano partió
siendo el viaje un gran acierto.

Esas fieras las mujeres
un gran burlesco amatorio,
donde se mira al tenorio
cargando con mil placeres.
Se habla de los mismos seres
en las ***Mujeres amadas***,
hechizadas, encantadas
cual la magia de la pluvia,
Cuando termine la lluvia
de vidas apasionadas.

Memorias intelectuales
búsqueda de inteligencia,
y de la propia existencia
en cuestiones culturales.
Recorriendo más canales
tenemos otra novela,
La suma de Venezuela
un mapa que ha cautivado,
y el tesoro no encontrado
El país de la canela.

De leyendas llena está
la **Kuai-Mare** sigue viva,
recóndita y tan cautiva
que es, que fue, que será.
En **Panchito Mandefuá**
al granuja billetero,
haraposo, rastacuero
y en **La ballena varada**,
un niño tiene apostada
su vida cual justiciero.

Una saga familiar
en el **Osario de Dios**,
País portátil la voz
de quien se ha de sublevar.
La enfermedad, parpadear
el breve tiempo fundido,
guerras que se han padecido
en **Los días de la ira**,
tejido y faja guajira
Siíra nos ha traído.

Flor del fango es el relato
de una vil humillación,
ilusión, confrontación
Cachaco, palomo y gato.
María: amor ingrato
ingenuo, atormentado,
un amor por separado
con horas conmovedoras,
Zanahorias voladoras
escritor aficionado.

La perra, amor de amores
es comedia *Madrugada*,
una amistad traicionada
el libro *Los impostores*.
Una crisis de valores
refleja *Tierra de gracia*,
crisis que todo lo razia
y un joven recordaría,
a su pueblo cada día
en *Memorias de Altagracia*.

Hecha con toque burlón
cuenta la cosa más rara,
es *El mago de la cara
de vidrio*, la sensación.
La isla de la pasión
heroínas y soldados,
De los amores negados
los amores turbulentos,
forzados desplazamientos
nos dice *Los derrotados*.

El Orinoco Ilustrado
costumbres y pobladores,
El desolvido, clamores
país en armas alzado.
Suenan timbres que han tocado
aforismo y dinamismo,
Ídolos rotos, cinismo
en *Juegos bajo la luna*,
violaciones una a una
liberación, hermetismo.

Leyendo *El flecha* tenemos
a un hombre muy popular,
Jaguar: paramilitar
colmados con los extremos.
En *Tierra quemada* vemos
una guerra alucinante,
La nieve del almirante
unos recónditos mares,
puertos, lejanos lugares
cada uno más distante.

Busca un amor con rigor
que al fin logra concretar,
relata: *Piedra de mar*
cual libro motivador.
El lugar del escritor
con un pesar y afligido,
El Karina, buque hundido
y otro escritor ha contado,
que aquel: *El atravesado*
de todo se ha defendido.

La heroína y el tirano
Cuatro años de mi cartera,
Wolf, qué compulsivo era
la *Antología*, desgano.
Satanás, el gran villano
y es el *Viaje al frailejón*,
vacaciones, ilusión
El juego del alfiler,
estafas, deudas, poder
Julián es la sanación.

Un beso de Dick que allana
todas las complejidades,
Al otro lado, verdades
de una pugna cotidiana.
Clase media bogotana
en *Los parientes de Ester*,
en *Delirio* se han de ver
narcóticos sin mesura,
El signo del pez, la dura
lucha por un renacer.

Estética musical
Maniobras elementales,
de sagrada y de mortales
tiene *La diosa mortal.*
Una conducta habitual
Los peores de la clase,
los mal portados, ¡culpase!
cada uno muy mal visto,
La piedra que era de Cristo
donde un nuevo tiempo nace.

Cuanto quisieron cambiar
toda aquella galería,
sabiendo que cambiaría
en *Primero estaba el mar*.
El brío para escapar
hay en *Formas de evasión*,
Entre dos terruños con
sus dos tierras apreciadas,
drogas en *Cartas cruzadas*
de realismo una lección.

Con un milagroso encanto
un niño se rescató,
y así fue como surgió
es que *En Chimá nace un santo*.
El *Pin pan pun* entre tanto
unos seres descarriados,
sujetos desorientados
y en *Reinaldo Solar*,
el aliento de emigrar
se miraba en todos lados.

La risa del cuervo con
vida y muerte en un misterio,
El naufrago del imperio
rescatando a Napoleón.
¡Calcio! trata una invención
y otra con magia nos mueve,
al pasado, pues se atreve
con *Bruna la carbonera*,
llevarnos a su manera
hasta el siglo diecinueve.

Canaima es drama y mar
caciquismo y aventura,
del campo y de su cultura
es *El rejo de enlazar*.
Y se ha de valorar
paisana del pueblo andino,
que con un tejido fino
a tus lectores integras,
con tu magia en *Nubes negras
sobre Bianchi* el asesino.

Seis hombres, una mujer
falso poder obtenido,
miedo a la vida en *El ruido*
de las cosas al caer.
Sobre un sometido ser
y de machismo en *Peonía,*
un cacique se imponía
en *Tierra bajo los pies,*
y *Muestras del diablo* es
brujas, demonología.

En la novela *El Carnero*
se habla de un conquistador,
señal de un fraterno amor
en *El desbarrancadero.*
En *El kilómetro cero*
los viajes y los valores,
los buenos conversadores
y en *El alférez real,*
un claro estigma social
con firmeza, con rigores.

Hace ver *Anatomía*
de un traidor, gran corruptela,
y *La rambla paralela*
un escritor que moría.
Gringadas con ironía
El rumor del astracán,
este que al leer verán
a judíos inmigrados,
unos pilotos osados
leyendo *El alcaraván*.

Inventa, viendo a la calle
niñera, tía y hermana,
sueña desde su ventana
Mateo solo al detalle.
Volver al oscuro valle
una vida desgraciada,
El gusano, asociada
al contacto y relaciones,
cuenta *Las reputaciones*
la notoriedad truncada.

Un inmigrante alemán
Los elegidos explana,
clase alta colombiana
sin importar: ¿qué dirán?
Crónicas *Bajo el samán*
con la marca deshonrosa,
otra crónica desglosa
Doña Inés contra el olvido,
lo ganado y lo perdido
de una patria generosa.

La décima ha dado un giro
para poderlo anotar,
con ella pude encontrar
mi *Anecdotario guajiro*.
Aventuras de *Un vampiro
en Maracaibo* relata,
toda una perorata
pesquisa detectivesca,
de buen humor y burlesca
una lectura en fin grata.

Propio de una aristocracia
es la *Fiesta en Teusaquillo*,
dura influencia de un mundillo
que en sexo y droga se sacia.
Salvación de una desgracia
Sonríe todo está bien,
narra *La vida al gratén*
cuentos de un autor moderno,
y *Las puertas del infierno*
un poeta en su desdén.

Un viaje fue la experiencia
hecho por el propio autor,
va de Europa a Nueva York
cuenta *Años de indulgencia*.
Por una tierra y su influencia
toda una vida ha cambiado,
Este mundo desolado
y *El derecho a la ternura*,
nos confirma en su lectura
el afecto valorado.

Opio en las nubes la idea
y marca de un existir,
un niño más, *El tapir*
como el libro lo recrea.
La fogata arde en la aldea
tras un curioso ritual,
yanomami espiritual
y de un ambiente salvaje,
del café su aprendizaje
Caminar el cafetal.

Siendo de otra agrupación
los festivales llegaron,
los de Apure se contaron
cual San Fernando el patrón.
Los de Elorza y su canción
a las de Achaguas me fuera,
más con una joropera
recordando al Matiyure,
coromoteños de Apure
La voz del alma llanera.

Amazonas estadal
año con año la edita,
fiesta de su Virgencita
del Carmen, cual patronal.
Anzoátegui en carnaval
y una santa venerada,
Virgen Candelaria amada
Cruz de mayo punto y llano,
como el canto gregoriano
cada una iluminada.

Fiestas del estado Aragua
para todas, un cronista,
baile de San Juan Bautista
diablos danzantes de Cagua.
De Orituco, de Cuyagua
de Chuao cual lo debido,
un festival bien fluido
con la gloria de Jesús,
el Velorio de la Cruz
del día más colorido.

Fiesta la Virgen Real
con otras siendo genuinas,
celebradas en Barinas
de forma tradicional.
San Isidro en pedestal
el que tanto nos auxilia,
por él se hace la vigilia
con respeto, con cariño,
la Paradura del Niño
y la Sagrada Familia.

Bolívar te necesita
y yo te pido que eleves,
dulce Virgen de las Nieves
mi fe por ti, virgencita.
En tu fiesta tan bonita
San Francisco venerara,
por Santa Elena pasara
sin perderme el festival,
menos en la pesca anual
La feria de la sapoara.

Cojedes, llegó la hora
de este tu buen festival,
con tu fiesta patronal
de la Divina Pastora.
El Delta Amacuro explora
como Sucre el alborozo,
un momento fabuloso
que esperé con avidez,
el Festival Santa Inés
de semblante religioso.

Bailes de la turas con
San Isidro Labrador,
celebradas en su honor
en el estado Falcón.
Se dice por tradición
que se le pide a este santo,
por medio de un breve canto
pa que llueva y quite sol,
a veces cambiando el rol
para que no llueva tanto.

Lo celebran en Miranda
diablos de Yare danzantes,
con otros buenos bailantes
de San Pedro y su parranda.
Con la misma veneranda
en Trujillo se le reza,
abierto a cada promesa
igual que al santo negrito,
las Fiestas de San Benito,
el Silbón en Portuguesa.

Monagas, Baile del Mono
Mérida, Fiesta del Sol,
y de origen español
el San Isidro en su trono.
De Madrid, igual patrono
como se ha revelado,
otro santo nos ha dado
su luz en un buen retablo,
Nazareno de San Pablo
en Caracas venerado.

Las Ferias de San Miguel
Arcángel y Candelaria,
Panoja de Oro y la agraria
Guárico como un clavel.
Fiestas de San Rafael
en Carabobo se dan,
unas fiestas de San Juan
«si lo tiene, lo ha de dar»,
y la bendición del mar
hecha por un capellán.

Táchira y su carnaval
y las de San Sebastián,
Yaracuy: las de San Juan
y las de su capital.
La Guaira y su litoral
su festival organiza,
y en una fecha precisa
de febrero se termina,
entierro de la sardina
del Miércoles de Ceniza.

Las del Tamunangue en Lara
siendo así las más festivas,
romerías, rogativas
a San Felipe invocara.
Aquel que Herodes matara
con Zaragoza transita,
Nueva Esparta nos invita
fiesta La Virgen del Valle,
y con el Zulia en la calle
la Feria de la Chinita.

Colombia canta y encanta
orquídea de oro antioqueña,
y Nariño nos enseña
que con tres fiestas se planta.
Un Carnaval se abrillanta
el del Caribe en su honor,
y el Carnaval a tenor
negros y blancos iguales,
con estos dos festivales,
Carnaval multicolor.

En Putumayo me veo
llegando con mi piragua,
en el Carnaval del agua
y en la Fiesta del Rey Feo.
En sus fiestas me recreo
con música alternativa,
que el indígena cultiva
sin duda orgullosamente,
un festival diferente
una fiesta distintiva.

Otra Amazonas que añoro
nos dará la bienvenida,
donde va cobrando vida
el pirarucú de oro.
El Vaupés que rememoro
y a donde regresaré,
la Fiesta de Ipanoré
que activo celebrará,
y en Quindío, Calarcá
el Festival del Café.

Atlántico echando un pie
por don Francisco Galán,
todos celebrando van
Festival Merecumbé.
Cóndor legendario, sé
que coronas por igual,
la canción tradicional
de piquería caliente,
el Congo de oro presente
Barranquilla en Carnaval.

En el Casanare dos
ambas con igual aforo,
cuenta el Cimarrón de Oro
y la Fiesta del Arroz.
Sucre levanta su voz
con tono festivalero,
se alegra el aventurero
pito atravesao y engloba:
Festival de la Algarroba
Festival Veinte de Enero.

Hay nueva celebración
hay una nueva verbena,
Hay Festival Cartagena
llena de mucha atracción.
Otra notoria edición
del Bolívar musical,
de gran renombre mundial
manteniéndose a la altura,
difusión de la cultura
y compromiso social.

Riosucio en Carnavales
Caldas se viste de gala,
una fiesta que intercala
la Feria de Manizales.
Cargada de festivales
y de mucha voluntad,
todas por la identidad
interdepartamental,
el festival musical
de la colombianidad.

En Córdoba yo me ambiento
con buena fiesta, caramba,
Festival de la Cumbiamba
con un Cereté contento.
El Cauca y el gran momento
que disfruto en Popayán,
y de plano escucharán
en Magdalena un halago,
Fiesta Guillermo Buitrago
y la Fiesta del Caimán.

Cada vez terreno gana
y de la vista se pierde,
Festival la Luna Verde
la fiesta sanandresana.
Con música colombiana
El Festival de Ibagué,
donde mucho disfruté
todo un festín nacional,
la capital musical
en Tolima me encontré.

Una fiesta de primera
nos ha regalado el Meta,
el que el joropo interpreta
fiesta de canción llanera.
Como la luz de una hoguera
un festival se ilumina,
y cada cantante afina
su voz para hacer saber,
que el Norte de Santander
celebra música andina.

El valle del Cauca igual
el musical lo celebra,
el mes de junio en Ginebra
Mono Núñez Festival.
Petronio, gran musical
además, que se abandera,
la capital cafetera
al golpe de una chipola,
da pie el Festival Bandola
Feria de Cali salsera.

Un Caquetá muy feriado
del que presume el nativo,
colono de oro festivo
y ecológico reinado.
Festivales que han mostrado
el aporte cultural,
encuentro internacional
aupando el amazonismo,
colonias, ecoturismo
el mambe audiovisual.

Otro festival retrata
un entorno similar,
para poder destacar
la leyenda vallenata.
En el Cesar se relata
este cuento regional,
un proyecto hecho real
por dos hombres y una dama,
dada toda aquella fama
del éxito musical.

El festival de canciones
Samuel Martínez que expresa,
del Cesar otra sorpresa
siguiendo sus tradiciones.
Llenos de buenas acciones
festivales del Chocó,
del río grande surgió
«Somos San Pacho y Atrato»,
bajo el ambiente más grato
patronales de Quibdó.

Un festival araucano
de internacional torneo,
joropo y contrapunteo
verso a verso, mano a mano.
Festival santandereano
la hormiga de oro y combina,
el del tiple y la guabina
haciendo la conexión,
con viento, con percusión
requinto y bandola andina.

Ofrenda a los fundadores
canciones y serenatas,
Risaralda, fiestas gratas
con muchos admiradores.
Al campo le rinde honores
y a su pueblo por sí mismo,
preservándose el civismo
y sus actos culturales,
con turistas regionales
celebra el regionalismo.

Cundinamarca ferial
reinado de la panela,
todo bajo la tutela
de la fiesta principal.
Con este su festival
bien nos recibe Villeta,
la métrica pandereta
y su amor por el folclor,
que tiene todo sabor
de la más hermosa prieta.

Ya saben cuánto valoro
el arpa con la bandola,
un estandarte tremola
el gran Yurupary de oro.
Con orden y con decoro
Guaviare su fiesta enrumba,
una pareja retumba,
bailando un seis numerao,
y con un verso coleao
comienza un zumba que zumba.

Huila deja correr
en junio su festival,
de corte internacional
como se ha podido ver.
Y Neiva ha de acoger
turistas de cualquier lado,
el bambuco y su reinado
baile con sabor andino,
un idilio campesino
como nunca celebrado.

Guainía en su capital
celebra con ceremonias,
festival de las colonias
artístico cultural.
¡Viva la estrella fluvial!
el indígena artesano,
un ¡viva! alzando la mano
en toda la geografía,
viva su gastronomía
el festival de verano.

La Guajira con la fiesta
de los wayú, su cultura,
un tambor da la apertura
y la yonna su respuesta.
El dividivi con esta
celebra su festival,
música tradicional
con otro de gran renombre,
Festival Francisco el Hombre
Majayut de oro ancestral.

Llamativo el festival
de la cuna de acordeones,
competencia entre campeones
para ganarse al rival.
Villanueva es el sitial
que el buen vecino comparte,
en esta fiesta se imparte
clase de aquel instrumento,
cita del conocimiento
cita de cada baluarte.

Duitama y la procesión
patrono divino Niño,
la fiesta a la que me ciño
a su peregrinación.
Boyacá y la tradición
de sus fiestas culturales,
con cines, audiovisuales
artistas, exposiciones,
conferencias, diversiones
sus escenas teatrales.

El festival cultural
indígena y el reinado,
del cumare, bien atado
a la feria artesanal.
Todo un complejo ferial
Cumaribo, el Vichada,
festividad programada
Festival el Carraíto,
el reinado del curito
una fiesta de alborada.

Una nota musical
que buena inauguración,
comenzando la función
de un famoso festival.
El público en general
disfruta de cada instante,
oyendo al participante
masculino y femenino,
celebrando el Florentino
de oro y el de diamante.

Y *los poemas* llegaron
con *Tiempo transfigurado*,
Allá va un encobijado
con los demás se juntaron.
Payadores declamaron
y tras esto la ovación,
Correo del corazón
Patria, *Vida en poesía*,
un *Canto de rebeldía*
El sitio de Encarnación

Gritaba un declamador
Vivo adorando a Gisela,
El que menos corre vuela
El viaje del cazador.
Una vaca en Nueva York
La América castellana,
Los árboles, Toledana
Mi verso, *Viaje legado*,
Trazos, *Sombrero de ahogado*
Romance de tierra llana.

Así, yendo bien la cosa
los poetas se juntaban,
y por la gesta juraban
hacerla recia y gloriosa.
La dimensión de la rosa
Jazz de nadie que condenas,
de fantasía te llenas
Flor de Pascua es un querube,
Tú, *El espejo y la nube*
solo *A dos palmos apenas*.

Tus ojos y tu ventana
sé que no puedes cerrar,
por el poema *Callar*
y *La gran miseria humana*.
Al salir *A la mañana*
El águila recogí,
la prosa *El colibrí*
pero *En la noche callada*,
iré a buscar, dulce amada
unos *Versos para ti*.

Ojos que aguardo por ver
cada noche a mi regreso,
pensando en el dulce beso
que me has negado, mujer.
Si piensas retroceder
creyéndome timorato,
te diré por nuestro trato
a la hora de la *Cita*,
acércate, muchachita
y *Callémonos un rato*.

Ondas vivas y *El secreto*
a mi vieja revelé,
fue que *En la noche* encontré
a quien me quiso en concreto.
Aceptándole su *Reto*
he de casarme con ella,
ya no es mi lejana estrella
Noches de invierno, conjuros,
va *Más allá de los muros*
El sueño de la doncella.

Al no recordar su voz
Cuando lejos la tenía,
en mi *Carta* le escribía
Seremos tristes los dos.
Tiempos lejanos y a Dios
tranquilo me encomendaba,
por los cristales miraba
las *Nubes, velas, gaviotas,*
y unas estrellas remotas
que yo alcanzar anhelaba.

Cada prosa en ti se empalma
recuerdo que le escribí,
con *Un domingo sin ti*
mi tristeza no se calma.
Ven y *Asómate a mi alma*
y nota mi *Amor febril*,
y es que tu amor juvenil
conquistaré más aún,
Cuento de mar y con un
Poema casi infantil.

Otra serie de poemas
a mi memoria llegaron,
y los versos continuaron
con los libros, con los temas.
De acuerdo con los fonemas
proseguí pues, con *Instante*,
Elegía suspirante
Todavía, Confesión,
Mirándonos, Acordeón
y *La nada vigilante.*

Mi décima, Ambición
El esplendor y la espera,
Caballo, Canción ligera
Arrietas, Sueño, Misión.
Jardín, Última lección
Regreso y continuaría,
al final recordaría
De lejos, De viva voz,
Alba, Plegaria sin Dios
y *La tierra que era mía.*

Vibración, *La poesía*
*A m*í *solo se me nota,*
Alas fatales, *Derrota*
La jaula y *Qué no haría*,
Hondo, A la fuente fría
Humo, *Grieta matinal*,
con la *Oración de la sal*
y *Amara yo el olvido*,
Vaquería y *Caído*
en el limbo espiritual.

La fábula del dragón
Por-venir, *Como la ola*,
El legado, *Alma sola*
La espera, *Excomunión*.
La cena, *Matarratón*
Rieles, *Al gran navegante*,
Una estatua amenazante
El doble, *Vara de acero*,
el *Canto del extranjero*
Acto y *El reino errante*.

Así continué viajando
para más compilaciones,
pregonando las razones
del por qué seguir luchando.
A Eulalia estaba dejando
pero algunas veces pasa,
que me besa, que me abraza
todo muy bien calculado,
manteniéndome *Sentado*
a la puerta de mi casa.

Yo *Del lado de los sueños*
conseguí *Analogía*,
y la explicación le hacía
a todos los lugareños.
A la entrada los costeños
con sus miradas atentas,
aseguran que frecuentas
el mar por un tiempo largo,
al mismo tiempo yo cargo
el *Cuaderno de hacer cuentas*.

Inspirado y sin lamentos
seguí la senda emprendida,
controlada y dirigida
por *La rosa de los vientos*.
En unos gratos momentos
con talento y maestría,
los *Coros del mediodía*
y en la mañana serena,
Nudos, *La casa en la arena*
la *Lección de geografía*.

Me entregaron un legajo
de un poemario radiante,
El mapa del caminante
que un buen amigo nos trajo.
El Bolívar del trabajo
cual trino de un ruiseñor,
y nos trajo un verseador
con la *Pasión insumisa*,
la *Dispersión de ceniza*
y *Lo que dice la flor*.

Gozoso por la misión
me dije *¿Por qué no canto?*
y con su olor *El mastranto*
bañaba todo el salón.
El arpa y el acordeón
en todas estas sabanas,
me hicieron sentir con ganas
Tormenta de primavera,
La muerte de la quimera
y *Cerremos las ventanas*.

Reforzando mi postura
vine a los departamentos,
arrastrando sentimientos
y el compromiso de altura.
Recité con donosura
El cuerpo y la otra cosa,
Desespero, Esta rosa
para que el verso se afiance,
y hasta le cante un *Romance*
a Juan Pablo Peñaloza.

306

Una mujer me fue dando
la inspiración más intensa,
Los poemas de la ofensa
para seguir avanzando.
Para seguir recitando
contamos **La juanbimbada**,
una época dorada
con **Territorio de sueño**,
Santa tristeza, **Ensueño**
con **Eternidad robada**.

Inicio mi calendario
con **Frente al amanecer,**
Los sueños pude leer
Áspero, **Sentimentario**.
El bosque blanco, **Anticuario**
y **La vida cotidiana**,
Qué culpa tiene mi hermana
si yo los versos reúno,
con los **Delirios de uno**
en la noche bogotana.

Unos grandes trovadores
llegaron luego al recinto,
declamando **El laberinto**
y exaltando los valores.
Dos, los improvisadores
de toda mi tierra amada,
Copa eterna es aclamada
igual las **Alas de seda**,
y en cada copla se enreda
la gracia de la payada.

Cada poeta recrea
Ante el muro lo infinito,
aquel: **El nombre del grito**
y **La luz que parpadea**.
La musa, que es una idea
o la inspiración que brilla,
toma el **Agua de la orilla**
llena de mucha ilusión,
y **Patas arriba con**
la vida siendo sencilla.

Esta búsqueda demuestra
talento en un tiempo breve,
el *Encuentro con la nieve*
El habla, *La hamaca nuestra*.
Aquella noche maestra
la virgen comprometida,
la *Inocencia* que se cuida
Escritura, *Yo poeta*,
El rebelde, *La silueta*
y *La ciudad sumergida*.

Negro soy, soy *El guerrero*
en tierra y *En alta mar*,
la unión se habrá de lograr
por la gran patria que quiero.
La negra del maraquero
Tu mano, *Querido amigo*,
Amarse, *Soñé contigo*
El mendigo del sol y
La glosa del frenesí
con *Hoy me levanto y digo*.

En *Una pausa total*
el peregrino descubre,
la *Lamentación de octubre*
y una *Visión sideral*.
El poema negro igual
Tamarindos con limón,
Del silencio, *Fundación*
los *Senderos del olvido*,
Ámbito, *Tiempo perdido*
El hueco y *Restauración*.

Cruzo la llanura entera
con *La hazaña del caballo*,
con mis versos les detallo
Os trópicos, *Calavera*.
Estando donde estuviera
se iban, pues, animando,
así se fueron juntando
Acertijo, Centro es uno,
y en el momento oportuno
Idea y forma iba dando.

Todos me dan un aliento
La obra, y mis pregones,
La gente, Visitaciones
Perfume, *Alma en el viento*.
Y si mis poemas cuento
con las condiciones dadas,
con mis estrofas cantadas
repito a cada segundo:
aquí *La esquina del mundo*
tiene ahora *Dos miradas*.

Cuando regreses, me dijo
habla con *El bogotano*,
el poemario en tu mano
cuida cual si fuera un hijo.
Ando con un crucifijo
pero con pasos agudos,
cargando con mil escudos
con la oración como templo,
tal como diciendo: *A ejemplo*
de los árboles desnudos.

El alba inútil, *Espejo*
Cobijando la ilusión,
dos pueblos y una razón
sin prejuicios ni complejo.
Junto a *Mi querido viejo*
El vagabundo convino,
El brujo y el adivino
las *Restituciones francas,*
Reto con *Cigüeñas blancas*
Aguas claras y *Un destino*.

Aquí, *Un poema al día*
Marginal, *La inspiración*,
De paso, *La procesión*
Terredad, Serial, Lucía.
Bendita seas, *madre mía*
las bendiciones te pido,
Plegaria que te he pedido
por esa *Música triste*,
y *Un cuento* tú me pediste
leyendo el poema *Olvido*.

Cuando el mundo está cantando
Cuatro décimas en glosa,
el alma se siente airosa
De la Pascua a San Fernando.
Asunción está bailando
con gracia y con simpatía,
con *La errante melodía*
Canción de noche que notan,
Rimas galantes que brotan
mil versos *En la bahía*.

Un *Canto a la soledad*
Ciruela, *Las horas mudas*,
las *Escrituras desnudas*
Lámpara de oscuridad.
Romance de Navidad
Balada sentimental,
La cámara de cristal
Dictado por la jauría,
Amor fugaz, *Elegía*
Las tardes, *Música astral*.

Canto en negro, *La lección*
con el *Corrío del negro*
Lorenzo con el que alegro
a toda la reunión.
Asumo, *La confesión*
Amor total, *La pintora*,
El fuego, *La bordadora*
Galerón con una negra,
esa que tanto me alegra
por ser buena bailadora.

Muchos más pude saber
engrosaron el manojo,
Los textos del desalojo
la *Canción para tu ser*.
Por la tarde pude ver
todos los diversos temas,
las diatribas, *Sin dilemas*
cómo se pierde y se gana,
El regreso de la hermana
casi *Todos los poemas*.

Mon amour, *Tintas quemadas*
vivan los declamadores,
Recitadores, ¡honores!
por las obras recitadas.
Por las prosas bien contadas
en estos versos me aferro,
Los cuadernos del destierro
Liturgia, *Baila bonito*,
con *Nativo de El Carito*
Arcilla y *Edad de Hierro*.

Con *La tierra poseída*
Pregúntale a ese mar,
Naufragios, *Te quiero amar*
No me ha de bastar la vida.
Recodo de despedida
¡*Oh*, *tiempo!*, *Cada latido*,
El nuevo mundo he leído
La voz de los cuatro vientos,
La boca oscura tras cientos
Las moradas del olvido.

Hoy recibí el retrato
de mi hija, *Mona Lisa*,
aquella cuya sonrisa
evidencia un tiempo grato.
Con *El cazador novato*
cuentos de caza y de fundo,
La zafra y tú que difundo
esperando el gran encuentro,
así *La casa por dentro*
y *El alfabeto del mundo*.

Unos *Versos de la ausencia*
Las nubes, el *Horizonte*,
se oye el cantar de un sinsonte
en *La ley de la querencia*.
Pagando mi penitencia
pasé por el pueblo mío,
como si fuera un rocío
recité a mi morena,
otro bonito *Poema*
Las arenitas del río.

Decía cada poeta
que la musa no paraba,
y cada cual se inspiraba
en una nueva faceta.
Cada verseador se reta
para poderlo lograr,
decía uno al llegar
voy jugando a **Rosalinda**,
y con su apuesta nos brinda
El deseo de ganar.

Se fueron recopilando
poemas y poemarios,
épicos y legendarios
que se estaban olvidando.
Un aporte dando y dando
y todo en un santiamén,
muy buenos, requetebién
los líricos nos llegaron,
y seguidos se apuntaron
los dramáticos también.

Musa del polo oriental
Nocturno y ***El tinajero***,
el ***Silencio duradero***
Te amo, ***hermano animal***.
Apolínea y ***El Rosal***
que ya causaron revuelo,
venida del mismo cielo
prosa: ***Puertas de Galina***,
con ***Elegía a Alfonsina***
La ronda del arroyuelo.

Recordar a los dormidos
acordarse de los otros,
y ***Mas allá de nosotros***
recuperar tiempos idos.
Dos pueblos serán unidos
Patria en terreno sureño,
los tiranos con desdeño
no lo quieren entender,
Tiempo de luz han de ver
Globo, Voluntad del sueño.

Junto al **Hambre** y la **Congoja**
Un dolor pude anotar,
y **Siempre** pude apuntar
en igual pliego de hoja.
Que el pueblo así los recoja
junto a los **Recitadores**,
así, los **Inquisidores**
El consejo de los brujos,
habla claro y sin tapujos
señalando a los traidores.

Mi destino es tu destino
hemos de **Heredar la tierra**,
La herencia leve que encierra
cuentos de un mismo camino.
Es que donde nace un pino
tú, vendaval, como soplas,
sabiendo que no te acoplas
mil raíces contra el viento,
y así cabalgo contento
El caballo de mis coplas.

Donde hay rincones vacíos
Décimas de amor y muerte,
las que el hombre, pues, convierte
en leyendas y corríos.
Espejismo entre los ríos
deja que el agua se aclare
y, si alguien lo dudare
que a **María Lionza** adoran,
su montaña ya la exploran
Justo Brito y Juan Tabare.

Un **Huésped** de alma dichosa
Esponsales: compromiso,
Medianoche con permiso
Balada del humo roza.
Ella, querida y hermosa
él descubre su silueta,
La noche y la luz que aquieta
Lo borrado, **Casi obsceno**,
Dicen que el amor es bueno
en **El balcón de Julieta**.

Laurel, *Estampa llanera*
Suelta la voz compañero,
con *El baile del veguero*
El cuadro, *La primavera*.
Llevo el verso sin carrera
traigo el *Silencio sin prisa*,
con los *Hilos de cocuiza*
se apartan los pies del fango,
Los niños que comen mango
afloran cada sonrisa.

Porque una mujer me llena
de luz, la vida entera,
pues toda mi vida diera
por aliviar cada pena.
Calmante que me serena
único amor sin engaños,
halagos de mil tamaños
la razón de mi alegría,
mi inspiración por el día
y *Las noches de mis años*.

La cisterna insondable
con la *Agilidad del pozo*,
igual *El cristal nervioso*
y lo *Menos vulnerable*.
Cada una memorable
cual *La canción del violín*,
que da celos de postín
A los de otros planetas,
y con las aguas más quietas
El mar Báltico en latín.

Buenos días, *señor sol*
y a ti *Mariela Romero*,
mi cariño te reitero
con la luz del arrebol.
Bajo la luz de un farol,
Décimas de amor y mar,
El tiempo para bailar
el *Tango del cigarrillo*,
la *Estética de bolsillo*
El luto, *Mayo* y *Llegar*.

Es Navidad, *Mi locura*
Mi señor, *Hay un instante*,
En la noche penetrante
Nido vacío, *Llanura*.
Gaby, *Amor y ternura*
Mil gracias, *Romance del*
Ánima Sola y tras él
Solitos, *Mi curandera*,
Décima simondiacera
La niña de Maribel.

Fiestas de sombras y *Antaño*
Guaire y la *Piedra de habla*,
Lengua mundana que entabla
conversación todo el año.
Nuestro oficio, *Sed* de un baño
el *Bañista*, *Patio al mar*,
Silvia sabe enamorar
como se dice en *El boche*,
y *Tambores en la noche*
hacen al *Alma* llorar.

Alguien ha de revelar
los *Escritos en la piedra*,
cuando alguien como yedra
quisiera un alma trepar.
Las *Dos vidas sin lugar*
Lorito real he leído,
Las aves y he conocido
pues *El mito de la abuela*,
y otra página revela
Junto a las aguas y *Olvido*.

Ofrenda, *Enfermedad*
Las ovejas, *Por ti tengo*,
Cuando otro va, *yo ya vengo*
Yambae y *Trinidad*.
Siendo *Amor y Navidad*
los dos juntos se han marchado,
Belleza negra he quedado
como un *Perro callejero*,
recitando en el estero
Clavelito colorado.

Absolutamente nada
el *Canto a la rebeldía,*
El cartel de la alegría
con *La fuente abandonada.*
La tierra del sol amada
Profundidad del amor,
Solo al fondo del furor
La aldea, *Dios nos ampara,*
la *Oración sencilla para*
los ausentes, Cazador.

La imposible, *La mujer*
con *El dardo de la herida,*
Luba, *El cuerpo suicida*
Pleito de amar y querer.
Distancia, Atardecer
El ciro, Melancolía,
la *Salve bandera mía*
es *La bandera* que izan,
Los ojos verdes que hechizan
y *La musa de la orgía.*

Desterrados se han quedado
él, *Nocturno de un amor,*
Tránsito en llamas, dolor
Costado indio marcado.
La balada del granado
verde como su mirada,
le ha recordado a su amada
mirando aquel farolero,
al igual que al hilandero
y la alcoba iluminada.

Muy recogidos los cuellos
y de elásticas cervices,
con las hinchadas narices
cansados van *Los camellos.*
Un poema con destellos
de luces supo brillar,
para así poder brindar
sin los mínimos tabús,
aquel *Desnudo a la luz*
de un eclipse lunar.

Ventana del tiempo aval
de la buena poesía,
lo mismo se aprobaría
con *El canto elemental*.
La *Luna de miel* igual
miles poemas trajeron,
Momentos de luz me dieron
Se dispuso, *Tentación*,
Altaflor, *Aspiración*
y las *Tierras que me oyeron*.

Justa la valoración
entre el verso y el vocablo,
es *Florentino y el diablo*
reñida confrontación.
Lírica con alusión
a los versos sin receso,
ganando el bien por el rezo
La parada de Maimós
y, sumándose a los dos
De los viajes y el regreso.

Una isla de lamentos
poema *El senador*,
El vejamen, *El rencor*
para llegar a doscientos.
Elena y los elementos
La renuncia, *La hilandera*,
El transeúnte que viera
todas las calles y cruces,
El cazador de avestruces
Los lazos de la quimera.

Lápices, Atardecer
En colonia, de valía,
viva *Pancho Valentía*
¿De dónde? y mi *Querer*.
Elegía del ayer
Juan Parao, buen coplero,
marcados nervios de acero
de figura prominente,
y el otro pausadamente
Coplas del amor viajero.

317

Elegía del marino
Ilusorio, *Difusión*,
Invitación, *Mi ilusión*
el *¡Oh, puente marabino!*
A una sombra, *Torbellino*
junto a *Tu mirada aquella*,
un *Crepúsculo* destella
los buenos *Rayos solares*,
anda por miles lugares
Ve tú a buscar tu estrella.

Con estos versos me escudo
me dan alegría y calma,
Coloquio bajo la palma
Glosa del amor desnudo.
Que se logró, que se pudo
he de escuchar entre gritos,
se unirán todos, toditos
tras el *Balance final*,
hombre, mujer, cada cual
y *Los hijos infinitos*.

Tarjeta de Navidad
Esfinge, *¿Qué es el dolor?*,
Soneto del nuevo amor
El mar, *Otra soledad*.
Te adoro y *La libertad*
tomándola para bien,
quién ha de juzgar a quién
pues si *Se juntan desnudos*,
probando los concienzudos
La manzana del Edén.

Tengo la esperanza viva
esperanza con nobleza,
con el *Soneto a Teresa*
sin mucha prerrogativa.
Voy *A mi ciudad nativa*
para escuchar este cuento,
y qué mejor argumento
una *Serenata en cántico*,
con un *Soneto romántico*
con un *Soneto sediento*.

Poetas de lujo con
las poetisas famosas,
Del porno y las babosas
un *Romance de ocasión*.
Este es mi corazón
Pequeña canción coreana,
si el desaliento me allana
que una copla me resguarde,
pues *Todo nos llega tarde*
la dicha nunca es temprana.

Por toda la *Geografía*
traigo la *Canción nocturna*,
una *Blanca taciturna*
y *Colombia*, *patria mía.*
Una dulce melodía
Ángeles, *Brioso corcel*,
Canción de la niebla y *El*
limonero del señor,
de amarillo y de verdor
Biografía de su piel.

Mi amada linda, apacible
de amor todito un derroche,
En los labios de la noche
no es un *Amor imposible*.
Cielo y mar, indescriptible
una *Canción de la vida,*
profunda, la más querida
gracias que estás a mi lado,
Si no te hubiera encontrado
mi alma estaría perdida.

Ella con ganas se aferra
a los bardos estudiar,
tratando así de encontrar
la paz *Después de la guerra*.
La posesión de la tierra
con *Clase* y *Evocación*,
moviéndome el corazón
Tus pies, *Lágrimas y rosas*,
Novilunio, *Mariposas*
y *Sublime confesión*.

Respuestas de madre cielo
se sabe que el tiempo apremia,
Romance de la bohemia
fresco tal cual un riachuelo.
Llegó tu carta, *Desvelo*
y va llegando a mi mente,
cada verso congruente
para el buen recitador,
la *Declaración de amor*
con *De perfil y de frente*.

Así me recordarás
con *Amor cuando yo muera*,
larga una vida quisiera
para así querernos más.
En el bosque, *Tú sabrás*
cual la palma de tu mano,
que yo corté por lo sano
algunas *Habladurías*,
no teman amadas mías
estas *Son cosas del llano*.

Con *El tiempo recobrado*
el *Elogio de tu pie,*
Pancha Duarte que se fue
y su poema ha quedado.
Poemas de aquel pasado
que renacen con la unión,
En otro tiempo, *Prisión*
buenos y tiempos penosos,
Ojos color de los pozos
La almohada, Inspiración.

Consejo, El dulce mal
Pedazos de un existir,
tras *El dolor de vivir*
Azul, *Doliente rosal*.
Aromas, Penitencial
Exilio, Humanidad,
Nocturno en tres, *Voluntad*
Piedad, *Ten piedad de mí*,
Ternura, Hay algo en ti
Unos papás, Suavidad.

Morada al sur, *Poesía*
el *Apollinaire herido*,
Décimas del bien perdido
y *Murió de nuevo un día*.
Tu presencia y la mía
¿En qué piensas?, *Maldición*,
Al oído, *Reflexión*
Ebriedad, *Pares o nones*,
Viendo la noche, *Razones*
 Solo a cuestas, *Redención*.

Con *Tú no sabes amar*
un poemario empezaba,
yo feliz porque me amaba
una mujer ejemplar.
Bien que me sabe ayudar
yo me alegro por tenerla,
por amarla, por quererla
dándole gracias a Dios,
el *Poema de tu voz*
El milagro de la perla.

Como la décima trata
este pueblo sigue unido,
ya tengo *El gato bandido*
Taller moderno, *Postdata*.
Súplica de amor, *Sonata*
Desbocado no se acopla,
mi deseo por *La copla*
Los maderos de San Juan,
y estos versos volarán
así como el viento sopla.

Ella buscó un buen rato
y trajo el de *Pastorcita*,
yo *La pobre viejecita*
el *Cucufato y su gato*.
Siendo de esta tierra nato
donde cada verso vuela,
lleva el mensaje y revela
lo bueno de cada artista,
cada *Momento optimista*
Corrío de Micaela.

Un domingo inspirador
El despertar, *De tu esencia*,
Mujer desnuda, *Presencia*
y *Madrigales de amor*.
Buscaremos cada autor
la inspiración gota a gota,
esta lira que nos brota
como lluvia, *Como el mar*,
y lo oscuro sin dudar
como *La estrella remota*.

Tributum, *Mi soledad*
la décima ¡*Gloria, oriente!*,
Marco Antonio y Juan Vicente
Carta, *Otra Navidad*.
Abisag, *La libertad*
con el *Trazas el paisaje*,
Anita es un homenaje
junto a la *Madrina de oro*,
valga *La razón del toro*
y *Al poeta del pasaje*.

Poesía reunida
trajeron las poetisas,
el *Caballo de cenizas*
Su presencia fue acogida.
Elocuencia colorida
que en ambos pueblos se vio,
Canto común que encontró
La música de tus besos,
Arriero, *Copa de huesos*,
Un poeta como yo.

El poeta se despide
de las muchachas y punto,
trataremos otro asunto
como mi pueblo lo pide.
Y cuando se consolide
lo que se tiene pendiente,
cuando cada continente
vea terminado el tema,
hablarán de este poema
como una *Huella presente*.

Con una catira al lado
su discurso terminó,
pero también se le vio
una trigueña al costado.
La gente había preguntado
por ellas todito el día,
como la intriga seguía
le respondió con voz alta:
La catira Cruz Peralta
La negra Juana María.

El poeta se retira
como el verso lo reseña,
un adiós a la trigueña
a la morena y catira.
Siendo Maricruz su lira
su negrita que Dios guarde,
hoy le dijo haciendo alarde
y delante de los suegros:
Píntame angelitos negros
con *El viento de la tarde*.

Pronto en la Organización
de Estados Americanos,
los dos países hermanos
abrirán la gran sesión.
Será la grande nación
de almas comprometidas,
de voluntades fundidas
la que sabremos amar,
y hemos querido llamar
muy justo: Patrias Unidas.

LA SUERTE ECHADA

Todas las personas permanecían silentes, expectantes, asombradas. Su notable dicción, exaltación literaria y sobre todo la pasión por su ideario, le dieron a Valiente la ventaja de recitar las décimas con el suficiente timbre de voz, con soltura, con pasión, con la correcta pronunciación. Como lo hiciera cualquier buen recitador: *Diego Gómez,* por ejemplo. Cerró el libro con serenidad, sostuvo un beso en la portada con los ojos cerrados, y, estirando un brazo, lo dio a guardar. Después tomó aire, se puso de pie y, al pasear su mirada por el numeroso público, terminó expresándole:

—Colombia y Venezuela han pedido y piden que se les reconozca en todo el mundo como una sola patria, como una sola nación, que venimos llamando Patrias Unidas. Los grandes problemas y las grandes cosas buenas que tenemos en común nos han llenado de gallardía y mucho juicio para ir concretando paso a paso este hermoso proyecto. La construcción de una grande y poderosa nación, defensora de la paz, de la justicia, del Estado de derecho, de su integridad y de la democracia. La cual ha de garantizar la prosperidad, el bienestar y la felicidad de los patriaunidenses.

Cuando los aplausos pararon, la entrevistadora le agradeció de nuevo su presencia y le hizo otra invitación. Algunas personas se agruparon a su alrededor para saludarlo, felicitarlo y animarlo aún más. De su parte, les mostró su gratitud, y fue puntual al responder algunas preguntas. A los pocos minutos, se despidió de la conductora y dijo adiós a las personas que mantenían el teatro a casa llena.

A la mañana siguiente, Valiente y la señora Quintero despertaron con el sonido relajante de las olas, sintiendo la brisa del mar y oyendo la alargada y fina letanía de una bandada de gaviotas. Cuando el sol comenzó a invadir con su luz la habitación, ella conectó la televisión desde la cama, y fue en busca de los canales informativos de interés y mayor sintonía, tratando de dar con la noticia ansiosa de hallar. No tardó un minuto en darse cuenta de que el programa estaba siendo retrasmitido en el mismo canal, y en seis más, la noticia era un *boom*. Estaban en español, en inglés, y en portugués por medio de un canal brasilero. Eso provocó, de repente, en la joven Maricruz un verdadero estado de frenesí, una intensa emoción, una excitación que no podría ocultar. Valiente, por su lado, sin inmutarse, permanecía pensativo y con total serenidad, atento a los reportajes que daban sobre él. Había caído en la cuenta súbitamente de haber desafiado al mundo sin que pudiera cambiar su ventura, la peripecia que estaba a la vuelta de la esquina.

Con más de setenta millones de seguidores, el joven visionario se habría convertido en pocos años en un gran personaje, en uno de los más importantes, influyentes y carismáticos del continente americano y buena parte del europeo. Su padre, el mítico decimista, en un consagrado bardo por su libro *Décimas efervescentes*, una obra que le condujo junto a otros buenos poemarios, a conseguir un motivador premio literario que le fue entregado en España, en la ciudad de Las Palmas, Gran Canaria.

A LA ESPERA

Las premoniciones del señor Lorch, aun cuando fueran anunciadas en un sueño, se fueron cumpliendo una a una. A dos años de aquel funesto 19 de noviembre, el diario *A todas Luces* publicó una vez más en su primera página la triste y dolorosa noticia:

Continúan desaparecidos Valiente y Valentín Moreno, líderes del movimiento Patrias Unidas.

Las marchas y protestas en demanda de justicia no tardaron en cesar. A todo esto, la gente mantuvo viva la ilusión, y los recordaría por su estratégica y particular alianza. Al padre, asimismo, por su desempeño como locutor, por sus composiciones, y por su poema más largo y representativo. Al hijo, por su lucha incansable, por las frases que solía citar y por las últimas palabras del discurso que dio en Caracas, ocho días antes de su desaparición:

No se trata de crear una nación poderosa, como lo será, para mirar con aires de superioridad a las menos fuertes, ¡en absoluto!, pero sí para que las grandes y desarrolladas naciones de hoy no nos sigan mirando de esta forma. Nuestra gran patria, la que ha de codearse con estas poderosas, porque sabrá conquistar activa su desarrollo, servirá de ejemplo para la paz, para la felicidad, que es el fin de cada ser humano. Sin temor a equivocarme, será un modelo que copiar para que otros países del continente hagan lo propio. Así, y tan solo así, Iberoamérica podría ser otra… ¡Muchísimas gracias!, ¡que Dios los bendiga!

LA GRAN OFERTA

Al sexto día del artículo periodístico, el señor Thomas cumpliría su promesa de acompañar a la señorita Andrea Ruf hasta la casa de los Moreno Sandoval en Bogotá. Era viernes, 25, empezaba a oscurecer y a escampar, luego de haber llovido a cántaros todo el día. El conductor se dejó llevar lentamente y, al detenerse a mitad de la calle, anotó en su mente la hora a la que debía volver.

La joven pasajera —blanca, pecosa y larguicha, como una jugadora de voleibol— era hija de un experimentado y reputado ingeniero que trabajaba para *Pañales Thomas,* una empresa ubicada en Fontibón, occidente de la ciudad, y cuyo propietario era por casualidad quien le acompañaba, el señor Gabriel Thomas, un inmigrante francés que había decidido invertir su dinero en América, donde además terminó enamorándose y formando una familia. Un patrono que, aun cuando recorría la empresa tres o cuatro veces a la semana refunfuñando y haciendo las correcciones de las anomalías, acababa castigando con benevolencia a sus empleados.

No eran más de las 6:40, cuando la señorita Andrea y el señor Thomas bajaron del automóvil bastante presurosos y sin mirar a otro lugar que no fuese la entrada de la casona. Llevaban puestos sus sombreros, guantes y lentes de sol para no ser blanco fácil de los espías que se habían multiplicado y mantenían vigiladas tanto La Sandovalera y La Morenera como otros lugares que consideraban sospechosos.

Surgían así tres interrogantes: ¿qué relación tendría Francia con todo esto?, ¿qué parecido podría tener la Revolución francesa con el movimiento Patrias Unidas?, ¿qué papel le correspondería jugar al señor Thomas en el rescate de Valiente y Valentín?

«Todo depende del color del cristal con que se mire», dirían.

Les aguardaron ese día: Valentina, Maricruz y la señora Sandoval. Ni una persona más, ni una menos, según lo convenido. Tras el saludo cordial de bienvenida, dieron a guardar sus implementos y todos pasaron al salón. El señor Thomas tomó asiento, como se lo pidieron, y frente a él se recostaron las dos jovencitas y la señora Sandoval. Andrea, en cambio, valiéndose de la confianza que tenía en aquella casa, se dirigió a la mesa de retratos, tomó una de las fotografías del frente y la acercó a sus pupilas con una pícara sonrisa que la delataba. Valentina, por consiguiente, adivinó en segundos lo que diría a continuación.

—Ya sé que dirás que ahí era María Moñitos.

—¡Cualquiera! —expresó Andrea graciosamente.

—Esa foto estaba extraviada hacía tiempo, pero a mamá le dio por buscarla en cuanto lugar había, hasta que la encontró, como ves. A ella y a mí nos pareció que montarla en blanco y negro quedaría mejor, y así lo hicimos. Se ve mejor el rostro, a nuestro parecer —señaló Valentina.

Luego de los comentarios sobre la fotografía, reír y colocarla en su lugar, la señorita Andrea se abrió paso y se sentó al lado del señor Thomas. Tras el corto silencio, la señora Manuela fijó sus ojos en el invitado, tomó la palabra y entró en materia.

—De nuevo, gracias, señor Thomas, por venir a mi casa y ocupar su valioso tiempo en esta conversación, siento mucho molestarle. A ti también, gracias, Andrea.

—No se preocupe señora Manuela, ustedes saben muy bien que pueden contar conmigo —afirmó la señorita Ruf.

—Gracias a ustedes por darme el privilegio de visitar la casa de un gran héroe, yo lo he admirado desde un primer momento y quiero que sepan que mi tío Fabián me ha superado en fanatismo, siempre está informado de lo que pasa con él. Con franqueza, es una persona de gran inteligencia y muy culta. Ha leído mucho sobre la historia de la humanidad, sobre los grandes personajes de todos los continentes, un hombre bien informado y con mucho olfato para los negocios. Los presidentes le piden favores, ¡honradamente! —Todas levantaron los ojos, admiradas, excepto

Andrea, que ya había oído hablar sobre el señor Fabián—. Mi tío anda por lo común muy ocupado con sus empresas, pero no repara en viajar de vez en cuando por el mundo. Cree, ante todo, en el trabajo, en la honra de los hombres, en la libertad, en quienes luchan por la vida. Entiendo que ustedes quieren que yo hable con él para ver en qué podría ayudar. Es así, ¿verdad?

—Sí, eso fue lo que conversamos con Andrea.

—Andrea me hizo la propuesta junto a su padre, amigo de ustedes también, y es la razón por la que estoy aquí. Alberto es una buena persona y un buen profesional, nos ha servido de gran ayuda en la compañía y goza de todo mi aprecio y mi respeto. Me gustaría en serio que se uniese a nosotros —aseguró el señor Thomas.

—A mí también. Alberto, su esposa y su hija aquí presente nos han dado mucho aliento en estos últimos años, en nuestros días más duros. Mi familia les estará agradecida eternamente —señaló doña Manuela, inclinándose hacia adelante y estrechando las manos de la señorita Ruf entre las suyas.

—Volviendo a lo de mi tío —dijo Gabriel—, deben estar enterados de que lo conozco muy bien y lo estimo tanto como él a mí. Podría decir que soy su hijo varón que no tuvo. Así que, una reunión pautada con él, pueden desde ahora mismo darla por hecha, nunca me negaría un favor que le pidiera. De la misma forma, les digo que no sería ni en Francia ni en Venezuela, ni aquí. Hay que buscar dónde.

—¿Y usted cree, señor Gabriel, que pudiera ser el próximo mes? Es que se dicen muchas cosas, y cada vez peores —preguntó Maricruz con actitud ansiosa y mirada triste.

—En verdad, no sabría decirlo, no me atrevería. A mí me gustaría que fuese él quien manejase los tiempos según su agenda. Comprendo la ansiedad y sus pesares, pero deben dar pasos firmes y tener mucha fe. No podemos tomar esto a la ligera.

—¡La fe nos sobra, señor Thomas, las oraciones! —insistió Maricruz sin timidez, y sintiendo de nuevo los golpes del corazón.

—No lo dudo, pero tienen que trabajar duro. Ahora bien, cuando digo «tener fe» me refiero a tenerles confianza a las decisiones tomadas, porque entiendo que no basta lanzar la moneda al pozo encantado de los deseos. Insisto, dejemos al tío manejar los tiempos.

—Yo estoy de acuerdo —dijo la señora Sandoval.

—Yo opino lo mismo, será así –dijeron una tras otra Valentina y Maricruz.

—Miro en ustedes a las *tres mosqueteras* —les dijo el señor Thomas a las mujeres que tenía al frente, para luego continuar elogiándolas—. Todos hemos visto el coraje que han mostrado para calentar de nuevo la calle, cómo se han gastado los zapatos, tratando de dar con el paradero de Valiente y Valentín, todas las demandas y denuncias. Eso debe dar sus frutos. En Francia hay un adagio que dice: «*A coeur vaillant, rien d' imposible*». «Para un corazón valiente, nada es imposible». Yo creo ver en ti, especialmente, a otra Juana de Arco, símbolo de la unidad francesa, nuestra santa patrona —-agregó el señor Gabriel, apuntando su mirada en Valentina. ¡¿Habrán leído a Víctor Hugo?!

—¡Y a Dumas!, ¡y a Julio Verne! —respondieron.

—«Muchos tienen la fuerza, de lo que carecen es de voluntad» —refirió el señor Thomas parafraseando al primer escritor y volviendo la mirada a Valentina.

—Tú eres firme, y tienes juventud y voluntad, así que: ¡gloria! —añadió—, tomaste las riendas del movimiento y ahora cuentas con el mismo apoyo que tuvo tu hermano. Apenas converse con mi tío, les informaré. Por lo pronto, les puedo adelantar que tal vez sea necesario viajar al norte.

—¿A Estados Unidos? —preguntó Maricruz.

—A Canadá —respondió el señor Thomas.

Curiosa como su hermano, Valentina lanzó una pregunta fuera de contexto.

—¿Cuándo llegó a Colombia, señor Thomas?

—Cuando tenía treinta y un años, ya llevo quince.

—Mire qué cosas —continuó Valentina—, usted es francés, como lo era Auguste Rodin, y en razón de eso quisiera comentarle que, en nuestra biblioteca, hay tres estatuillas: una de nuestra Virgen de Chiquinquirá, otra de Don Quijote y Sancho Panza y la tercera de *El pensador,* una de las esculturas más emblemáticas de Rodin.

—*¡Oh!, Le penseur* —Dijo sorprendido el señor Thomas.

—La estatuilla es de mi hermano y, curioso al fin, se preguntaba por qué *El pensador* apoya su codo derecho en la rodilla izquierda, siendo que, me decía, es más cómodo apoyarlo en la derecha. Él me hizo adoptar la posición de las dos formas y me di cuenta de que tenía razón, en la derecha cansa menos la espalda.

—¡Vaya usted a saber! Eso sí que es curiosidad.

—A mí me dijo una vez que estaba pendiente de hacerle un regalo a España, en agradecimiento por todo el apoyo que le estaba dando al movimiento —contó Maricruz—. Según me explicó, y en verdad me convenció, se trataba de algo muy curioso, una solución salomónica al polémico tema de la tauromaquia, o fiesta brava, como la llaman también. Una propuesta donde quedarían satisfechas ambas partes: críticos y fanáticos, un simulador de estocada para dormir al toro.

—Sí, es así de curioso como dicen, recordemos que a Napoleón lo llamaron el Pequeño Cabo, el Pequeño Corso; a Juana I de Castilla la apodaban Juana la Loca y a Felipe I de Castilla le decían Felipe el Hermoso. De manera que, si Valiente llegase a presentar en Europa curiosidades como esta que me indica, tal vez lo llamarían Valiente el Curioso, no les extrañe —señaló el señor Thomas mirando a todas reír.

Al cabo de una hora de plática, entre comentarios, curiosidades, consejos, preguntas y respuestas, la señora Manuela le pidió al señor Gabriel que se quedara para la cena.

—Nos complacería mucho si cenara con nosotras, señor Thomas.

—No, gracias —señaló —, con estos pasabocas y el chocolate me parece bien, muy sabrosas las empanaditas, de verdad, ¡y los volovanes!

La señora Sandoval le agradeció el cumplido, para luego señalar:

—A propósito, ¿tú sí te quedas, Andrea?

—Sí, yo me quedo esta noche —respondió la joven.

Al mirar su reloj y levantar los ojos, el señor Gabriel quiso saber si había más preguntas para él.

—De mi parte, no —respondió la señora Manuela.

—No es una pregunta —advirtió Maricruz—, solo quería decirle al señor Thomas que no es poca cosa lo que está haciendo por todas nosotras, por la familia. *¡Oh lá lá!*, tiene usted un gran corazón.

Al escuchar esto y mirar agudamente sus ojos de bondad, el señor Thomas se conmovió, le mostró una sonrisa y le hizo una diminuta reverencia con la cabeza.

—Les ayudaré cuanto pueda —agregó después con simpatía.

—Si no hay más preguntas, creo que está bien por hoy.

—Yo igual lo creo —dijo la señora Sandoval, seguida de las demás.

—Entonces, me despido.

El señor Thomas se levantó, cogió su impermeable, echó manos de su paraguas y colocó su sombrero.

—Que pasen buenas noches —dijo al despedirse.

—Buenas noches, señor Gabriel, fue muy grata su visita, esta es su casa, vuelva cuando quiera —dijeron Valentina y su madre.

LA TEMPESTAD Y LA CALMA

Alrededor de las cuatro de la madrugada, un grupo de oficiales y soldados se habría apostado en la entrada de La Morenera, para luego, ¡en cuestión de segundos!, tocar con brusquedad y hacer el llamado: «¡Abran la puerta!, ¡abran la puerta!, ¡es la policía!». Maricruz y Andrea corrieron hacia el centrode la sala: descalzas, desconcertadas y pavoridas. Del dormitorio del frente salieron igual la señora Manuela y Valentina, aunque menos aterradas. Se miraron, llevaron su dedo a la boca pidiendo silencio, y se plantaron como un solo bloque para esperar lo peor. «¡Abran ya!, ¡abran ahora!», se escuchó más fuerte. Esta vez con tanto ahínco que, lejos de hacer creer otra cosa, era notorio que pretendían derribarla.

—Yo abriré —dijo la señora Manuela, con una vehemencia innata de protección.

—Lo haré yo, ellos vienen por mí —dijo Valentina.

—Mejor nosotras —pidieron las demás.

El tono bajo de la voz con que discutían el acuerdo les permitió escuchar el chasquido de la madera al romperse, para luego mirar entrar abruptamente al grupo de asalto. Un pelotón de unos veinte hombres armados hasta los dientes, con pasamontañas, bandoleras y botas militares. Ellas quedaron inmóviles, atónitas, y a merced de sus secuaces.

—¡¿Hay más personas en casa?! —preguntaron con más aspereza, pero ellas callaron.

—¡¿Qué quieren?! —respondió en cambio con arrebato la señora Sandoval.

La actuación de los militares no se hizo esperar, ante la mirada explícita de otro jefe: la señora Sandoval, Maricruz y Andrea, fueron sometidas y esposadas.

—¡¿Díganme por qué a ellas?! —les gritó Valentina enfurecida, sin poder defenderlas y a sabiendas de que no le responderían.

—¿De modo que te llaman Juana de Arco? —apuntó con ironía el mismo grandulón avalentonado: sacando el pecho, con las piernas separadas y los brazos cruzados.

Era inminente y además inevitable, que en este punto de tropelía, intensidad y enardecimiento, ella buscara la mejor oportunidad para encimársele con un rápido movimiento, como una lanza tirada, con un brazo extendido mirando su cuello. Siete soldados reaccionaron, y lograron sujetarla tras un largo forcejeo.

—¡Yo soy Valentina! ¡Valentina Moreno Sandoval! ¡¿Oyen bien?! ¡Hija de Manuela y Valentín, hermana de Valiente! —gritó rabiosa y con rigidez, sabiendo que se trataba de una burla y clara insolencia.

El jefe se sacudió exasperado, al tiempo en que hacían el intento de esposarla.

—*¡Cobardes!, ¡son unos cobardes!, ¡pobres infames!* —les gritó.

—*¡Sabandijas!, ¡marionetas!* —vociferó la señora Manuela.

Como algo ensayado, todos menos tres se dispersaron enérgicos por toda la vivienda y revisaron cada habitación, cada rincón, cada gaveta, incluso el salón de estudio de donde sacaron lo que les vino en gana. Los vecinos, al rodear la casa, intentaron entrar, pero fueron advertidos con tantos disparos al aire que cedieron y recularon. Fue en esta coyuntura de pleno desparpajo, cuando Valentina despertó de la terrible pesadilla: exaltada, sudorosa y con el corazón a mil por hora. Por instinto, se recostó en el copete de la cama, cayó en sí, y poco a poco fue bajando el ritmo de la respiración hasta recobrar la calma. Quién podría negar que todo había sido producto de las tensiones y preocupaciones que cargaba en su cerebro.

Al amanecer, cerca de las siete y cuarto, doña Sagrario reanudó su labor como doméstica, empezando por la preparación del desayuno. Llevaba más de dieciséis años ininterrumpidos trabajando para los Moreno Sandoval, sin que se tuviese de ella queja alguna ni de parte de la familia. La querida Sagrario era una señora de origen humilde, sangre liviana y buenos modales, que se había ganado el respeto y la consideración de todos, por su honestidad, amabilidad y capacidad para las labores del hogar. La primera en saludarla aquella mañana fue la joven Valentina, a quien había conocido cuando era una mocita de apenas nueve años.

—Buenos días, Sagrario.

—Buenos días.

—¿Cómo pasaste la noche?

—Bien, en casa de mi hermana.

—¿Y cómo está ella?, ¿cómo están tu cuñado y tus sobrinos?

—Todos bien gracias a Dios.

—Qué bueno.

—¿Su mercé va a desayunar?

—Sí, Sagrario, por favor —respondió Valentina con apetito feroz.

—¿Y tú comiste?

—No, las estaba esperando.

—Las muchachas y mamá deben dormir todavía, lo mejor es que comamos las dos, anoche nos acostamos bien tarde.

—¡Ah, caramba! —exclamó doña Sagrario sin decir nada más.

—A ver, ¿qué preparaste? —curioseó Valentina, destapando un caldero.

—Arepas con huevos pericos y chocolate.

—Lo que tanto le gusta a papá, acá estuviera acompañándonos —dijo Valentina, cubierta de nostalgia.

—Todo saldrá bien, mi niña, todo saldrá bien, Dios mediante —le dijo doña Sagrario al tiempo que la abrazaba.

—El señor Valentín y Valiente ya aparecerán —insistía—, he orado por ellos, es nada lo que falta —Valentina se quebró y la abrazó más fuerte aún.

—Gracias, Sagrario —terminó diciendo, con el corazón alicaído.

—Y usted debe cuidarse también —agregó Sagrario sirviendo los dos platos—. Ahora más que nunca.

Algo le retumbó a Valentina en la cabeza, cuando se detuvo a pensar y a interpretar la frase alentadora de Sagrario: «Es nada lo que falta». Sentía que era algo muy peculiar, al notar que la había dicho con solidez, con seguridad, con los ojos vivos, como si hubiese consultado una bola de cristal y los mirara regresar, como si en verdad Sagrario pudiera leer el porvenir. Valentina prefirió no decirle nada en el momento, sino dejarlo como algo esotérico, cual si fuese un don que poseía.

—Yo no sé si tengo ese don, son revelaciones que de repente me llegan —Valentina la miró con los ojos alzados.

—¿Y tú cómo sabes que yo estaba pensando eso?

—Lo supuse, no más —aclaró.

A los pocos minutos, y todavía decaídas, entraron a la cocina en sandalias y pijama doña Manuela y Maricruz, sin haber dormido lo suficiente, y con muchas ganas de desayunar. Dieron los buenos días, echaron un vistazo a las arepas y luego se sentaron al mesón.

—¿Y Andrea dónde está? —preguntó Valentina a su madre.

—El señor Alberto la pasó a buscar a las seis y media.

—Ah, no sabía, ¿y qué hora es?

—Las siete y veinticinco —contestó Maricruz luego de asomarse a la sala.

—¿Ya quieren comer?, ¿les sirvo?

—No, Sagrario, quédate tranquila, nosotras nos servimos, anoche nos fuimos a dormir casi a las tres, ¡qué pena! —dijo doña Manuela.

—Así me dijo Valentina, ¿por qué no comen y se van a descansar? Hoy es sábado.

—No lo creo, Sagrario. Yo, al menos, debo hacer algunas diligencias.

—Nosotras igual —dijeron las demás, solidarias con ella.

El intento de engañar al organismo al final no les dio resultado, la necesidad básica de dormir las obligó a volver a la cama para que pudieran reponerse, en definitiva.

Para el mediodía, ya doña Sagrario les tenía preparado el mejor de los banquetes, uno que las ayudaría aún más a recuperarse: un típico ajiaco santafereño hecho a base de papa, crema de leche, alcaparras, y pechuga de pollo desmenuzada, que les fue servido en cazuelas de barro negro.

—Qué bueno te quedó, Sagrario —dijo la señora Sandoval.

—En verdad, muy bueno, muy sabroso —corearon Valentina y Maricruz.

—No fue nada —dijo doña Sagrario, acostumbrada a estos piropos.

LA LIBERTAD EN CAMINO

Ocho días habían pasado desde la reunión en La Morenera, momento de llamar al tío Fabián, que no hablaba sino muy poco español. Su sobrino, por consiguiente, le hablaría en puro francés, *en français pur*. La llamada telefónica debía realizarse observando las siete horas que llevaba por delante Francia con respecto a Colombia y, como el tío había manifestado que prefería recibirla cayendo la noche por ser más tranquila, esta debía hacerse entre las once y once y media, para poder recibirla en Lyon entre las seis y seis y treinta.

El estatus económico del señor Fabián Thomas era privilegiado y, como afirmaba su sobrino, con la dispensa de tratar con presidentes. Se mantenía saludable, bien conservado y con buen aspecto, a fuerza de una buena alimentación, chequeos médicos y mucho ejercicio. Mirándolo bien, parecía haber tomado el elixir de la vida. Como parte de su seguridad y además por razones de Estado, había creado junto a Gabriel una clave cambiante que garantizara la identidad de quien llamara y la del receptor, una estrategia que consideraron poner en práctica, transportándose a los tiempos de la Guerra Fría. En último caso, todas las llamadas, como la que recibiría de Colombia, estarían blindadas por medio de un método tecnológico que denominaban «ocultación de llamadas telefónicas o llamadas no rastreables».

«Poderoso capitán», el santo y seña, nombre indígena originario de Fontibón, donde funcionaba Pañales Thomas.

Bogotá 11:40 a. m., Lyon 6:40 p. m.

—Hola, tío, buenas noches para ti. Poderoso capitán.

—Poderoso capitán —respondió.

—¿Cómo estás?

—Bien, ¿y tú?

—Bien también, no debo quejarme.

—Hacía tiempo que no llamabas.

—Un mes apenas.

—Es mucho tiempo.

—¿Cuándo piensas venir?

—A mediados del próximo año.

—Y tú ¿cuándo volverás a Canadá? —demandó el sobrino.

—Tengo un viaje programado para este verano, ¿nos vemos allí?

—Es buena idea, y quiero plantearte algo con unos amigos.

—No habrá problemas.

—Nos veremos en Canadá entonces.

—Muy bien.

Al colgar, *le monsieur* Fabián le pidió a su asistente que buscara un calendario para fijar la fecha del viaje.

—Seguro, señor —dijo ella atenta.

Al poco rato.

—Aquí lo tiene señor.

—¿Desde cuándo no viajas conmigo, Zuzette?

—Desde hace dos años, señor.

—¿Te gustaría ir a Canadá?

—Si me necesita, podría acompañarlo.

—Gracias, Zuzette, estaremos allí veinte días, tal vez un poco más.

—Haré los preparativos.

—Primera clase. Compra los boletos para esta fecha —dijo, apuntándola con el dedo.

—¡Total discreción, Zuzette!

—¡Total discreción, señor! —respondió al darse la vuelta.

La señora Zuzette Dubois había trabajado arduamente para una de las compañías del señor Fabián desde que recién cumplió los 28 años, y por cerca de 17. Durante este período, no dejó de ser evaluada como excelente, a pesar de haber sido supervisada bajo la rigurosa lupa de altos jerarcas de la empresa.

Todo ocurrió cuando, por causa del deceso de la señora Thomas, esposa del señor Thomas, este le ofreciera a su gerente más valiosa un nuevo cargo y mejor pagado. Requería que alguien se encargase de sus cosas privadas, y la señora Dubois habría resultado la mejor candidata. Ella, al consultarlo con la almohada, le respondió de este modo:

—Seré su mayordoma, si es lo que desea, pero, por encima de ese cargo, no puede haber otro.

El señor Fabián estaba muy cerca de cumplir 67 años, bendecido por la fortuna y la prosperidad. Era un hombre leído y entendido en ciencia y tecnología, con una especialidad en ingeniería petrolífera. Iba siempre de traje y corbata, con una agradable agua de colonia de marca pomposa, y luciendo unos lentes finos y redondos que, sumados a los otros elementos, lo hacían ver como un caballero de estampa fina. Era accionista mayoritario de una petroquímica, y por derecho el presidente de la compañía. Pero, no conforme con todo eso, poseía el cincuenta por ciento de las acciones de una empresa de transporte marítima reconocida. Era dos veces más estricto con sus empleados que su sobrino Gabriel. Se deshacía con frecuencia de los faltones, de los indisciplinados, intrigantes y flojos. Sin resentimiento alguno, pero sin que estuviese de por medio un ápice de altivez. Se comentaba del señor Fabián Thomas, por cierto, que había acumulado su riqueza sin avaricia, que era un hombre digno de admirar por su bondad, por sus donaciones, y que podía vivir con tranquilidad el resto de su vida. Cuando cumplió los 54, inspirado por una película hollywoodense, se avivó en él su alma viajera, un ánimo que lo seguiría acompañando por muchos años. Era padre de una conocida bailarina de hielo ya retirada, y abuelo en dos ocasiones. Vivía en Lyon, Francia, ciudad con fama gastronómica situada en el sureste, en la región Ródano-Alpes, donde confluyen los grandes ríos Ródano y Saona. Convertida a partir de la Edad Media en una importantísima zona industrial, con predominio en las áreas de farmacia, petroquímica y biotecnología, con prestigiosas universidades y escuelas de negocios. A menudo visitaba La Croix-Rousse, un céntrico y muy tranquilo barrio bohemio, con un laberinto de plazas arboladas, rodeadas de casas antiguas y de espíritu pueblerino, ubicado justo a los pies de una colina del mismo nombre. Allí, en el *boulevard* de siempre y donde había conocido a su joven amada, disfrutaba con sus amigos de la comida *gourmet*, del mejor café, y oía las canciones que tanto ponían y mucho le gustaban de Juliette Gréco, Charles Aznavour y George Brassens.

LA LLAMA VIVA

Conforme pasaba el tiempo, Valentina fue cobrando experiencia hasta convertirse en la nueva promesa, en la gran defensora del honor. Estaba ahora a la cabeza de todo aquello, metida en el corazón de la gente y hecha responsable de dos exigentes misiones: mantener alzada la bandera de la unión y rescatar de cualquier modo a su padre y hermano, una tarea que había asumido con audacia y que no la haría desalentarse por más titánica que resultase, como venía resultando en verdad.

Siendo hija de una educadora y un poeta-locutor, y hermana de un gran orador, no le faltaba la fluidez en el verbo para hablarle a la gente, animarla y convencerla de que la lucha seguía en pie. Tenía el estímulo y la voluntad, como lo venía demostrando. Le alegraba saber que los incondicionales del movimiento se habían reanimado, atendiendo su llamado. Y estaba más resuelta aún al saber que Valiente y Valentín, a pesar de todo, continuaban vivos.

«Valentín y Valiente Moreno han sido secuestrados y continúan en cautiverio, no los podemos llamar "desaparecidos"», repetía en diferentes tarimas y podios. Lo mismo que su hermano, la nueva líder hacía retumbar los escenarios, marchas y protestas. Cierto que la calle estaba hirviendo de nuevo y con un júbilo inmortal, con un punto de ebullición a tal nivel que los autores intelectuales del rapto de Valiente y de Valentín intentaron varias veces zanjar *bajo cuerda* su liberación. Todo esto, claro está, a cambio de que Valentín, su hijo y ahora Valentina, abandonaran la idea unionista. Valentina hizo añicos tal oferta, pues, como la calificaba su hermano y ella ratificaba, la lucha era: inmutable, indetenible, inalterable.

—¡No podrán detenernos! —les avisaba ante una congregación—. ¡Les aconsejo que los liberen pronto! —decía—, ¡sanos y salvos!, ¿qué se han creído, que se saldrán con la suya?, ¡no crean que llegarán muy lejos con lo que están haciendo!, ¡jamás nos daremos por vencidos!, ¡están al descubierto los responsables de este atroz rapto!, tanto más pretendan parar esto por las malas, cuanto más lucharemos.

Un mensaje concluyente, cargado de emoción y optimismo. Valentina llevaba en su psique una advertencia que le había dejado su hermano a espaldas de sus padres: «Si algo me sucede, que eso no cambie el curso de este movimiento, ya surgirá quien se ponga al frente». Nunca imaginó que sería ella misma quien lo hiciera.

«La vida algunas veces nos conduce por un camino y ¡de pronto! aparece otro, otra ruta, otro destino nos hace cambiar de parecer y nos obliga a tomarlo por circunstancias imprevistas. Acabamos siendo en muchas ocasiones lo que jamás pensamos que podríamos ser, lo que nunca emprendimos.

Era un pensamiento de su padre que también compartía.

De Jaeques Cousteau, uno de los investigadores marinos más célebres del siglo XX, recordaba: «Cuando era niño quería volar, pero cuando aprendí a navegar, descubrí que el mar era mi cielo».

Y, para mayor inspiración y compromiso de Valentina, Valiente lo había citado en uno de sus discursos: «Cuando un hombre tiene la oportunidad de liderar un cambio, no tiene que quejarse nada para él mismo».

Aparecía nuevamente Francia en el camino de Valentina, como apareció Miranda en sus guerras revolucionarias. Alguien cercana a ella le habría dicho en la intimidad que no tuviera dudas de que se trataba de la devolución de un favor doscientos años después, y de saldar la deuda del ataque a Cartagena por parte del corsario Bernard DesJean, en el año 1697.

LA NOCHE DE LOS PENDONES

Cierto día, dos agentes que rondaban la ciudad entre noche y madrugada, aparcaron la patrulla cautelosos y descendieron sin hacer mayor ruido. Tan pronto como lo hicieron, miraron a su entorno; empuñaron sus armas y linternas y avanzaron por los costados intentando dar con algún sospechoso. En su recorrido no consiguieron más que unos viejos contenedores de basura y provocar una desbandada de gatos.

El inmenso pendón, que media hora antes no se había visto en el lugar, ahora colgaba extravagante y de punta a punta entre las dos torres gemelas del centro de Caracas. Algo insólito que debían reportar a la sala de control, como lo hicieron. Las cincuenta y siete estrellas que reposaban ordenadamente sobre el azul marino y que bien podían observarse desde lejos llamaron mucho la atención. Las personas que pasaban de arriba abajo, le hacían el ademán del pulgar en alto con un consentimiento que saltaba a la vista.

Al igual que las pancartas de Valiente, los impactantes pendones de Valentina representaban una amenaza para la casta política, para las altas esferas del poder que, notando tanto respaldo a la causa, una vez más encendieron sus alarmas, comenzaron otra asechanza, y posiblemente reactivarían el método de Julio César: divide y vencerás.

Un pendón similar fue reportado en Valencia, otro en Coro, otro en San Cristóbal, uno en La Asunción, en Cumaná, en Maturín... En Colombia reportaron el primero en Bogotá, el segundo en Medellín, luego en Tunja, en Bucaramanga, otro en Villavicencio, uno en Mitú, Cali, Ibagué, Yopal. En resumidas cuentas: uno en cada estado y en cada departamento. Era tan sorprendente aquello que el parte llegó *ipso facto* a los oídos de ambos presidentes.

Así regresaba el aguerrido movimiento, convertido en cincuenta y siete gigantes mosqueteros. Era *la noche de los pendones*, como sería recordada para la historia.

El mensaje subliminal para el buen entendedor hacía referencia a los 23 estados y a los 32 departamentos, unificados en una misma extensión territorial, pero, además, al derecho absoluto y sagrado de los pueblos de decidir sobre su propio destino.

Al final del día, la nota de prensa seguía recorriendo con rapidez todo el planeta. Una evidente y clara respuesta, que los luchadores de la causa les daban a sus adversarios.

La periodista Angelina Jancot, quien habría entrevistado en tres ocasiones a Valiente y a su padre, reseñó ese día desde Atlanta:

—Venezuela y Colombia vuelven a estar en el ruedo, vuelven a ser noticia. El movimiento unionista Patrias Unidas, fundado por el joven Valiente Moreno, y que hoy encabeza su hermana Valentina, parece renacer y poner en aprietos a ambos Gobiernos. Según han dicho sus propios voceros, aparecieron en una sola madrugada entre ambos países cincuenta y siete pendones azules contentivos de cincuenta y siete estrellas cada uno. Un hecho sin precedentes que da cuenta de que la cosa se torna de nuevo color de hormiga."

Ante la pregunta que hacían los reporteros sobre las apariciones de los estandartes, los colombianos manifestaban:

—Los políticos que se resisten a la causa de esa forma verán esos pendones hasta en la sopa.

—Ahora van a sentir la soga al cuello.

—Deben de estar sintiendo sobre ellos la espada de Damocles.

—¡Que viva Valentina!

—Tendrán que desaparecernos a todos.

—Liberen a Valiente y a su padre.

Los venezolanos:

—¡Que los liberen! Es un hecho abominable.

—Valiente y Valentín no merecen seguir en cautiverio, ¡que los liberen!

—No se trata de un pueblo, sino de dos.

—Pierden su tiempo estos mandamases.

Valentina se había convertido con voluntad y esfuerzo en la líder emergente, en el alba del horizonte, en la Juana de Arco de Gabriel Thomas, en la lucecita al final del túnel, en la nueva esperanza, en la joven sobre quien estarían atentos los ojos de América. Menos la muerte, no habría poder alguno que la pudiera atajar. Su seguridad había sido cuadruplicada, a diferencia de su hermano y de su padre, con un número de hombres y mujeres que solo ella, su madre, y su asesor conocían. Usaban nombres y rangos supuestos, bajo la orden de un oficial retirado, exjefe de inteligencia. Un coronel de apellido Pinzón, a quien llamaban Mr. Covert.

La nueva líder estaba lista para enfrentar lo que su hermano y su padre ya habían enfrentado, al precio de cualquier sacrificio. En pocas palabras: preparada para las arremetidas de los contrincantes. Se había paseado por la inmensidad del universo, aunque ligeramente, porque reconocía que la mente humana no daba para tanto, por el misterio de los mares, por el ser llamado Supremo, por la complejidad del amor y la amistad, por la subjetividad del tiempo, por la meditación, por el enigma de los sueños, por el judo y por el yoga. Juicios, reflexiones y asuntos que le ayudarían a lidiar, con el giro de 180° dado a su vida.

EL VUELO DEL CÓNDOR Y EL CANTO DEL TURPIAL

Un mes después de la acertada, discutida y recordada noche de los pendones, Valentina viajó a Caracas para cerrar una gira que llevaba cuatro meses y dos semanas. Había dado discursos en Bogotá, en seis departamentos y en cuatro estados, y ahora le tocaba el turno a la capital venezolana.

Para ese día se había planeado que fuera un evento muy colorido, un encuentro donde participarían, entre otros invitados, locutores, periodistas, y animadores de ambos lugares, y también cantantes, trovadores, poetas y recitadores, como una demostración de fuerza, de protesta, hermandad y solidaridad para con el movimiento, para con el poeta y locutor desaparecido Valentín Moreno y para con su hijo Valiente. Al mismo tiempo, para agradecerle a los verseadores de Andalucía y Gran Canaria el hecho de haberse solidarizado con la familia desde sus distintos lugares y en la forma en que sabían hacerlo.

Aunque no correría gran riesgo, a Valentina le fue preciso cruzar media Caracas de incógnito para llegar al entarimado. Había un sol esplendoroso terminando de secar los charcos que quedaban, y anunciando un día resplandeciente. Dos horas antes de su llegada, un afamado locutor y amigo de su padre se había encargado de hacer determinados anuncios, y de mantener animada a la gente, que había desbordado, una vez más, la avenida de 28 kilómetros de longitud, la principal arteria vial del área metropolitana.

Para que fuese más jovial el ambiente, resaltar viejas tradiciones, destacar la unión, la paz y la fraternidad, los organizadores habían llevado a dos prominentes improvisadores: uno venido del oriente venezolano, representando al galerón, y el otro de Antioquia, en representación de la trova paisa. El galeronista llevaba el tradicional sombrero de cogollo, y franela de colores con rayas horizontales. Y el trovador un típico sombrero aguadeño y un carriel terciado.

Sus trovas eran diferentes, con diez y ocho versos, pero, en este caso, tratándose de que estaba de por medio el nombre del poeta Valentín, los experimentados payadores acordaron hacer sus improvisaciones siguiendo las reglas de la décima espinela.

Una joven con mirada de búho real, de cabellera ondulada, y que llevaba una franela blanca con la inscripción «Yo soy patriaunidense», había llegado sorpresivamente y subido a la tarima a paso redoblado. Era Valentina Moreno, ¡decidida y vigorosa! Los músicos pararon, el animador la anunció debidamente y ella saludó con una mano en alto. En respuesta a su saludo, la gente empezó a tararear una y otra vez: «¡Libertad y Patrias Unidas! ¡Libertad y Patrias Unidas!». Era otro mar de personas, como el de Barranquilla. Cuando callaron, Valentina volvió su mirada a los trovadores y les agradeció los versos que habían dedicado al movimiento, a su padre y hermano.

—¡Faltan los suyos! —le dijo en voz alta un trovador.

—¡Excelente! —exclamó el animador.

—¿Te gustaría oírlos? —preguntó luego. Ella le respondió que sí.

—Pues bien, ¡cuando gusten trovadores!

Después de ponerse de acuerdo sobre cuál de los dos comenzaría, los músicos dejaron sonar una trova paisa al son de sus guitarras:

> Eres la flor del jardín
> de la orquídea su color,
> eres con gran pundonor
> el verso de Valentín.
> Cual Valiente el paladín
> la nueva luz de mi cielo,
> eres nuestro viejo anhelo
> eres la palma de cera,
> eres tierra cafetera
> y de mi cóndor su vuelo.

Cambiaron enseguida al galerón, para que el otro dijera la suya:

> La décima cantarina
> y nuestro agradecimiento,
> hablan del nuevo momento
> de nuestra nueva heroína.
> Siendo ahora Valentina
> nuestra fuerza espiritual,
> la firme incondicional
> la flor de mi araguaney,
> flor de mayo en mi caney
> y el canto de mi turpial.

Y así continuaron y se alternaron:

> No se saldrán con la suya
> como usted misma sostiene,
> y ahora sí que les tiene
> muy cortica la cabuya.
> Que cada cual contribuya
> como siempre lo destacas,
> con las mujeres berracas
> lo nuestro continuará,
> si retumbó Bogotá
> ha de retumbar Caracas.

> Al comenzar este día
> y a los pies de la montaña,
> la gran Caracas se baña
> de esperanza y alegría.
> Como me lo suponía
> el pueblo en la calle está,
> la brega continuará
> no habrá nadie que sucumba,
> y si Caracas retumba
> que retumbe Bogotá.

Mientras que el público celebraba, aplaudía y reía, los juglares se alistaban para la contestación, y así el antioqueño dijo:

Conocemos tu bravura
lo mismo que tu pesar,
por tener que atravesar
esta mala coyuntura.
Sientes la pena más dura
por la amarga situación,
tendrán que pedir perdón
además de castigarlos,
ya tendrán que liberarlos
sin ninguna condición.

Valentina tragó grueso y se le aguaron los ojos, pero aguantó para no soltar una lágrima. Inhaló aire fuerte y levantó el puño de victoria.

Este ejemplo de unidad
sin más sangre derramar,
al fin se ha de concretar
en esta oportunidad.
Dos pueblos con dignidad
reclaman al vanguardista,
a su joven idealista
causa por la cual resteados,
hasta que estén liberados
Valiente y el Decimista.

La persona más distante en la avenida, incluso, podía ver y oír lo que en la tarima se hacía y se decía. Una serie de parlantes y pantallas se habrían colocado previamente a todo lo largo y ancho de la arteria vial para que no quedara nadie sin ver ni escuchar a la nueva líder y a los demás participantes. Ella tomó el micrófono de nuevo, felicitó a todos los cantores y allí paró. Al segundo, un enorme pendón sujeto por sus esquinas, comenzó a elevarse lentamente detrás de la tarima hasta superar su techo. Correspondía este a la ya conocida bandera, al emblema que se venía aceptando y respetando desde el inicio del movimiento del joven Valiente.

La luz matinal sugería adherirse a sus colores, a los tres colores que llevan en común las banderas de Colombia y Venezuela. De la colombiana tenía la franja amarilla con el doble de ancho que las demás; de la venezolana, la franja azul contentiva de estrellas, solo que esta con 49 más, con 57 para ser exacto. Ya la había descrito el bardo Valentín Moreno en su poema *Décimas efervescentes*. Una estrella por cada estado, una por cada departamento, más dos por sus capitales. Sin faltar a la naturaleza, esta daba la sensación de un singular arcoíris.

Al volver la cabeza, Valentina miró en el público miles de puños levantados y rostros alegres, un instante fascinante que aprovechó para tomar aire en profundidad, comprobar el sonido, y comenzar su discurso con un pensamiento de Víctor Hugo:

—«Una sociedad que admite la miseria, una humanidad que admite la guerra, me parece una sociedad inferior, y una humanidad degradada. Es una sociedad superior y una humanidad más elevada a la que estoy apuntando. Una sociedad sin reyes, una humanidad sin barreras».

Al recibir un mensaje telepático de su hermano, Valentina echó una vista panorámica a los asistentes y los interpeló enseguida:

—¿Habrá por acá algún patriaunidense?

Los que no alzaron la mano de nuevo, estiraron sus camisetas tratando de mostrar la misma frase que llevaba Valentina en la suya.

—Las preguntas que haré ahora —siguió diciendo Valentina— son para nuestros detractores, para quienes a la brava y con el uso del poder, pretenden coartar nuestros derechos. Para ponerles los puntos sobre las *íes*. ¿Sabrán ustedes que somos no menos de setenta y cinco millones de personas las que apostamos por esta unión? Más del ochenta y siete por ciento de la suma de nuestras poblaciones. ¿Será que no saben, que vivimos en un mundo globalizado y, por consiguiente, todo el planeta conoce claramente lo que aquí está ocurriendo? ¿Será que desconocen, que un pueblo levantado, más temprano que tarde se impone? ¿Es que tal vez ignoran, que existen los derechos civiles, las leyes que los contienen, las instituciones responsables de su protección, los acuerdos internacionales en los cuales nos apoyamos? No hagan la vista gorda —señaló—, oigan a este pueblo en entero fervor, lo mismo que el colombiano: ¡agitado!, *¡acalorado!, ¡efervescente!* Razones tuvo Valentín para llamar a su libro como lo llamó.

No cabía la menor duda de que la gente se hallaba en efervescencia, apenas Valentina hizo un breve receso para calmar su sed y secar su sudor, repitieron la consigna: «¡Libertad y Patrias Unidas! ¡Libertad y Patrias Unidas!». Media hora había transcurrido, sin que perdiera el hilo ni la conexión con el público. Era para su madre, confusa en breves parpadeos, la viva imagen de Valiente, le parecía verlos a los dos en ella sola.

—¡Vivan las Patrias Unidas! —gritó.

—¡Qué vivan! —respondieron a todo pulmón.

—Libertad y Patrias Unidas —añadió— es un grito de esperanza, un llamado a la unión definitiva, un llamado por la verdadera paz. Libertad y Patrias Unidas es un canto, un canto porque, sin duda, habrá de formar parte de nuestro futuro himno. Las Patrias Unidas son: la orquídea que tienen en común nuestras naciones como la flor nacional, el araguaney y la palma de cera, que nacen y crecen en este grande y rico suelo y bajo este hermoso cielo. Las Patrias Unidas son: el vuelo del cóndor y el canto del turpial. El primero al cruzar majestuoso y a voluntad los Andes de ambas regiones, y el segundo cuando nos brinda su canto agudo y melodioso, tanto en las montañas y llanuras venezolanas como en los llanos orientales colombianos.

Valentina había sabido dirigirse a su público con una formidable alegoría, con una magia y una prestancia que le venía de familia.

Su discurso había sobrepasado los cincuenta minutos, y por más que la gente seguía esperando mucho más, ella prefirió culminarlo. Una regla de oro de la oratoria que debía respetar.

—En este momento tan esencial para nuestras patrias y para nuestras vidas, es bueno resaltar que los adversarios de este gran proyecto tienen por ahora el poder de gobernar, y desde sus gobiernos torpedear duramente nuestra lucha. Pero no lo será por mucho tiempo. Me vi obligada a tomar partido en el movimiento y fijar postura, no solo por el hecho del rapto de Valiente y Valentín, mi hermano y mi padre, sino porque estoy convencida de que la unión de Colombia y Venezuela no solo es viable y razonable, sino también conveniente. Es bueno que todos comprendamos la vital importancia de seguir adelante y permanecer como hasta ahora: *¡unidos!, ¡unidos!, ¡y más unidos!* En la unión está la fuerza. ¡Muchísimas gracias!, ¡que Dios los bendiga! ¡Libertad y Patrias Unidas! —culminó diciendo, con dos golpecitos en el pecho.

Al tiempo en que los vecinos emplumados de La Sandovalera revoloteaban y cantaban en los árboles cercanos, la señora Sandoval daba las indicaciones en la cocina sobre los pasapalos y las bebidas que debían servirse en la reunión. La antigua casa que aludía a su apellido, y desde donde se miraba todo el valle de Caracas, la había adquirido la familia a costa de ahorros, grandes esfuerzos y créditos bancarios, a pesar de su deterioro. La separaba del parque Waraira Repano el ancho de la avenida Boyacá, más unos diez metros hacia abajo. Colonial como La Morenera y cuna de las famosas décimas de Valentín Moreno.

Al regreso de Valentina del reencuentro con su gente, su entorno familiar y su equipo de trabajo tuvieron la tarea de realizar y recibir muchísimas llamadas, incluso internacionales, atender y despedir a un grupo de vecinos, mirar y comentar las noticias atinentes a la marcha, para luego disponerse a saciar el apetito, a almorzar con la solemnidad que pautaba la señora Sandoval: sin extenderse en las conversaciones, agradeciendo a Dios aquel pan y rogándole a su vez por la vuelta de Valiente y Valentín.

Así las horas avanzaron hasta que las campanadas de las 5 les recordaron que debían subir a la terraza, un lugar fresco y agradable bordeado con trinitarias, hortensias y tulipanes, donde evaluarían la concentración, el discurso de Valentina y los pasos a seguir.

—Si llegan a escuchar más tarde al aguaitacamino, les aconsejo que pospongan los planes —les advirtió la abuela con la voz ronca y entrecortada, haciendo un esfuerzo para que la escucharan y sujeta a su bastón de cuatro patas.

El asesor de Valentina, y que antes lo había sido de Valiente, miró a los demás muy confuso.

—Pues yo no comprendo nada —dijo en tono gracioso.

—Ahora le explico —dijo Mr. Covert.

—Deberías sentarte abuela —sugirió Maricruz.

—A eso voy.

Doña Manuela y Mr. Covert tomaron a la abuela por los brazos y la acercaron hasta la mecedora, donde la ayudaron a sentarse. No tendría parte en la reunión, pero su presencia no incomodaría a los que sí. Cerca de comenzar a discutir los temas, el doctor Arián pidió con interés, pero en tono amigable, que se le explicase lo que había querido decir la abuela con eso del aguaitacamino.

—Yo soy del campo, quiero que sepa, y por los cuatro costados —señalaba Mr. Covert con jactancia—, conozco más de flora y de fauna que cualquier citadino.

—¿Quién mejor que usted? —remarcó el doctor Refondo.

—El aguaitacamino es un ave pequeñita y agorera que habita la montaña que tiene al frente doctor, y muchas otras, indudablemente. A muchos les da pánico, porque es un pájaro envuelto dentro de un círculo de leyendas y misterios, con un canto triste que, según dicen, pronostica que sucederán cosas muy malas, *¡incluyendo la muerte!*, la abuela es muy supersticiosa y por eso dijo lo que escuchó, pero no tiene usted de que preocuparse.

—¡Ah, no! ¡Por supuesto que no! Leyendas hay en todos lados —repuso el escéptico doctor volteando hacia la abuela adormecida.

—Quiero recordarles que, en mes y medio, el señor Fabián estará esperándonos ya sabemos dónde —manifestaba la señora Sandoval para luego introducir una pregunta y responderla a la vez.

—¿Saben lo que eso significa verdad?, ¿lo saben? Que debemos estar preparados para viajar. Así me lo ha dicho el señor Gabriel.

—¿Qué piensa usted, doctor? ¿Quiénes deben ir a Canadá, aparte de Valentina?

—En sentido estricto, deberíamos acompañarla el señor Gabriel y yo —fue la respuesta.

—Yo no quiero dejar a mamá —apuntó Valentina.

—Eso es otra cosa, pero, si es lo que quieres, que también vaya la señora Manuela para que estés bien —aclaró el doctor Refondo.

—¿Estás segura, hija?

—Muy segura.

—Bueno, será así, yo viajaré contigo, y Maricruz se queda atenta a lo que suceda y al cuidado de mamá.

—Yo estaré pendiente —señaló el oficial Pinzón.

—Se lo voy a agradecer.

El doctor Refondo era un exitoso estadista y educador sevillano que había llegado a los Moreno-Sandoval por medio de su paisana y muy querida amiga de Valiente: Ana María Villafuego, convertida recientemente, después de tanto tiempo, en la primera mujer jefe del Gobierno español.

Como buen asesor político, el doctor Arián Refondo manejaba muy bien las encuestas de opinión, los datos estadísticos, el lenguaje corporal, la información histórica, los estudios sociológicos, la prensa, las emergencias sociales, la potencialidad de los logotipos, la música, los espectáculos, los ataques del adversario, la propaganda y la publicidad.

En Suramérica había colaborado en las conquistas de más de ocho gobernaciones y cuatro presidencias de Gobierno. Era el artífice de los eslóganes: Patrias Unidas; Vivan las Patrias Unidas; Libertad y Patrias Unidas; Yo soy patriaunidense. También de los pendones gigantes, de la colosal bandera, del encuentro de letrados, poetas, cantadores y trovadores, en la mayoría de las presentaciones de Valentín y Valentina. De tal manera que el doctor Refondo intentaba ahora ya no ganarse otra medalla de oro sino la de platino.

—¿Y usted qué piensa, coronel, respecto a que no se vio una sola patrulla policial ni militar cien cuadras a la redonda?

—Tengo la información testimoniada —respondió el oficial— de que habían ordenado no reprimir la manifestación por nada del mundo, ellos ya sabían que sería pacífica, ¡como todas! A la vez, me dijeron que los dos Gobiernos se habían puesto de acuerdo para negociar o intentar negociar de nuevo y bajo las mismas condiciones anteriores, la entrega de Valiente y Valentín a ustedes, su familia. Según habrían dicho también que, de fracasar otra vez, ¡como sabemos que fracasarán!, ellos evaluarían otra salida.

—¡Dios mío!, ¡eso dice mucho! —exclamó Valentina.

—¡Excelente noticia, verdad que sí! —indicaron emocionadas la señora Sandoval y Maricruz.

—Muy cierto —comentó el doctor—, y he sabido además de buena fuente, que los dos presidentes están bajo presión y muy angustiados por el avance que ha tenido Valentina en estos últimos cuatro meses, por las recientes concentraciones. Tengo información de que no pasan ocho días sin que se comuniquen telefónicamente para hablar sobre el tema, ¡que ya es mucho decir! De tal modo, pienso yo, que hemos atinado en la mayoría de las cosas y con bastante fuerza.

El doctor Refondo estaba convencido, por su pericia, de que ambos presidentes estarían pensando muy seriamente en el costo político, en la presión que ejercería Ana María siendo ahora jefe de Gobierno.

—Saben que estamos decididos y, además, le dimos a probar solo una dosis de nuestra firmeza, al no aceptarles sus condiciones para liberar a Valiente y a papá. Me imagino que eso les puso los pelos de punta—comentó Valentina.

—Por los vientos que soplan, y por lo que me dice mi corazón, pronto los tendremos de regreso —acotó la señora Manuela en cierta forma complacida…

Toda esa esperanza se habría resumido en una larga oración, en un fragmento del discurso que pronunciara Valiente en la costa del Atlántico, Colombia: «Y, como somos aguerridos, soñadores y, además, ganadores, esta apuesta la vamos a ganar».

—¿Por qué no ha probado los tequeños ni los pastelitos doctor? Y usted tampoco, señor Covert —preguntó doña Manuela.

—Verdad que no, ¡ahora mismo! —respondieron.

—Estaba repasando el libro de vuestro padre, debo reconocer que esos versos están muy buenos, bien largo el poema —decía el doctor Arián con los ojos puestos en Valentina.

—Usted lo comentó una vez —dijo ella.

—Tengo algunos familiares en las islas Canarias, y allí de verdad que saben decir versos —continuaba diciendo el doctor Refondo—. Acá en América, desde el sur de Argentina y Chile, hasta el norte de México, he visto cómo improvisan y cantan con la décima espinela. ¡Pero volvamos al punto! Con relación al viaje que debemos hacer, yo sugiero que vayamos primero a Curazao, estar allí tres días para despistar un poco, y luego ir a Canadá.

—Si así lo considera, así debe ser, no tengo otra cosa que decir —apuntó el coronel.

—Usted tendrá sus razones —afirmó doña Manuela.

—Pienso igual —dijo Valentina.

Cosa de hora y media, en el momento en que anochecía y la abuela despertaba, una brisa acelerada, como si tuviese vida propia, avivó la chimenea; tumbó al piso algunos objetos y echó a volar muchos papeles. La señora Manuela sintió al instante una especie de hechizo, un magnetismo, una percepción de escalofrío que le corrió por todo el cuerpo. Como si algo extraño se apoderase del lugar.

—¡Paremos y bajemos! ¡Vamos dentro, esto me huele mal! —dijo, sobresaltada—, si vamos a viajar, lo mejor es no escuchar a ese pájaro nocturno, y menos a la pavita —señaló luego apresurada, al tiempo en que recogía las pocas cosas que habían quedado en la mesa.

A juzgar por sus caras, los demás se lo tomaron muy en serio.

EL AVE FÉNIX Y UN TRATADO

Un mes antes de la fecha prevista para viajar a Montreal, el oficial Pinzón le habría requerido al asesor político de Valentina una reunión a solas, dado que tenía en mente una estrategia de la cual quería hablarle, y cambiar con él sus impresiones. Un enfoque practicado por el servicio de inteligencia y contrainteligencia, un procedimiento en torno al cual se intentaría tomarle el peso a la situación y, en el mejor de los casos, rescatar sanos y salvos a Valiente y a Valentín. El coronel Pinzón estaba confiado, en que Valentina y el doctor Refondo lo acogerían con beneplácito. Ellos conocían muy bien su hoja de vida profesional, y por eso sabían que se había licenciado en informática, y hecho un gran especialista en las técnicas del espionaje. Cuando pasó al retiro forzadamente por una situación política, no le fue difícil incorporarse a la vida civil. A dos meses de su separación de la fuerza pública, se hizo de un cargo en la escuela de ingeniería en sistemas de una universidad privada, para luego dirigir la seguridad de Valentina, a raíz del nefasto error o la traición del anterior.

Lo cierto es que un buen día, en un lugar muy secreto, Mr. Covert le dijo al doctor Refondo:

—Usted sabe, doctor, que, en estos casos, uno tiene informantes, amigos, enemigos, hay mucho riesgo y todo se vale, como en el amor y en la guerra.

—Soy todo oídos —le dijo el doctor para dejarlo continuar.

—Quería decirle que cuento con unos excompañeros que siguen activos en las fuerzas especiales, unos buenos amigos que me pasan información que nos interesa.

—¡Mmm!, ¿y bien?

—Resultó que, en este juego del gato y el ratón, ellos descubrieron en su grupo la infiltración de dos oficiales encubiertos, y eso en estos casos es de gran valor, ¡valiosísimo! Nos toca ahora desinformarlos, ponerles un señuelo, hacerles creer que

Valentina viajará a Canadá en cualquier momento por algo desconocido, y luego a Francia para una reunión privada con el presidente. Arriba deducirán, por lógica, que será para pedir apoyo a esos Gobiernos con relación al rescate de Valiente y Valentín. ¿Me sigue, doctor?

El doctor no le previno en lo mínimo y añadió:

—No perderíamos nada, no habría ningún revés, creo yo.

—¡Exactamente!

—Me parece un buen plan.

—Es parte de mi trabajo.

—Yo tengo la certeza, como posiblemente usted también, de que ninguno de los Gobiernos tomaría el riesgo de tener al mismo tiempo, la presión de Francia, Canadá y España, por eso del costo político.

—Es una buena oportunidad –comentó el oficial.

—¡Sí la es! ¡Sin duda que la es! Y, si todo sale bien…

—Mejor no lo digamos.

—Es mejor no decirlo —consideró igual el doctor.

A la semana de haberse ejecutado el plan, las férreas cúpulas que habían bombardeado al movimiento desde sus inicios, sacaron sus banderas blancas y huyeron en todas direcciones. Reconociendo con esto que tratar de demorar la lucha de un pueblo embravecido, y menos aún de dos pueblos por algo en común, resultaba un desacierto y arrastraba consigo pavorosas consecuencias.

Aquel dichoso 20 de enero, como pudo adivinarlo doña Sagrario y como sería maquinado desde alguna alta esfera de poder, Valiente y su padre fueron liberados en un paraje inhóspito y bastante alejado de ciudad alguna, un sitio donde permanecieron a la buena de Dios por unas horas, hasta que fueron hallados por varios aldeanos que habitaban las riberas del río Vaupés. Estaban del lado brasilero, a dos leguas de la frontera con Colombia, y a unas treinta probablemente de la venezolana.

A Valentín, que superaba ya los 55, se lo veía aquejado y muchísimo más afectado en su semblante y salud que a su infatigable hijo de 29. Cargaban la piel tostada, sus barbas eran de náufragos de meses, y vestían ropa de seis días con botas de hule. De un tiro los condujeron ante el cacique, para que fuese este quien se encargase de la situación, bastante infrecuente. Era patente que no hablaban tukano, ni ninguna otra de las lenguas indígenas de toda la zona y, por tanto, se trataba de un problema lingüístico que había que resolver de forma improvisada. En vista de esta realidad, el jefe hizo un esfuerzo para comunicarse con ellos en su rústico portugués, lengua romance surgida del latín, como el español, que les habría facilitado la comunicación a Dios gracias por la similitud de las palabras. Al enterarse de lo que estaba ocurriendo, el jefe indígena ordenó les prepararan alimentos, les dieran refugio, y comisionó de inmediato a un grupo de empuje para que los llevaran, amaneciendo, hasta la brigada más cercana que ya conocían del ejército colombiano, donde quedarían a su disposición.

Y, así, los presagios se cumplieron. Aquellos hombres, como se vio, habrían escapado de la muerte, venidos de la ultratumba, resurgido de las cenizas igual que el ave de fuego y superado el drama. Lo que habría supuesto una rendición, terminó siendo una robustez para la lucha. Tras alcanzar la gloria, el honor, la reputación y la fama que nunca buscaron, Venezuela y Colombia firmarían al fin y sin trabas, el tan esperado Tratado Binacional de Unión, un pacto que estaría blindado contra la mezquindad, y que daría paso a una patria nueva, por ende a un nuevo gentilicio y a una moderna carta magna. A la gran patria que le tocó abrigar a más de 84 millones de habitantes y contaría, con más de 2 millones de kilómetros cuadrados de superficie.

«Dijimos que sorprenderíamos al mundo y lo hemos logrado, ha sido una verdadera victoria, algo jamás imaginado que pudiera ocurrir comenzando este siglo. Pero esto es tan solo el arranque de un nuevo tiempo iberoamericano».

«En mi vida, había tenido un momento de tanta emoción como este, podría compararlo y no más, con el sí que me dio Manuela para casarnos y con el nacimiento de mis hijos».

De esta manera declaraban a la prensa Valiente y Valentín, a un año de su aparición y a la media hora de la firma del tratado.

—¡Retirarme, jamás! —respondió el noble paladín ante la pregunta, para luego finalizar su intervención con algunos pedimentos, y con un proverbio sacado de un clásico de esos de aventuras y caballerías—: Quiero pedirles a mis paisanos profundamente que no desmayen nunca, que aprendan cuanto puedan, que luchen y trabajen cada día, que salgan a comerse al mundo, que inspiren y levanten a los que se sientan a ver crecer la grama, que recuerden lo que dijo un legendario espadachín: «El león que no sale de su guarida no caza, ni hace blanco la flecha que no parte del arco». Que Dios los bendiga.

FIN

Esta publicación se realizó con el apoyo de
RUBIANO EDICIONES

+58 424-4443717

@rubianoediciones

rubianoediciones@gmail.com

Made in the USA
Columbia, SC
11 January 2025

50576242R00202